실력도 **탑!** 재미도 **탑!**

사고력 수학의 으뜸

이 책의 목차

TOP 사고력 수학의 특징

TOP사고력 수학 A/B 시리즈는 수학 경시 대회와 영재교육원을 대비하여 꼭 알아야 할 교과서 밖 수학 개념과 실전 문제로 학생을 최상위권으로 이끌어줄 교재입니다.
보통의 상위권 실전 문제집들이 주제별로 적은 수의 문제를 나열하는 구성이라면 TOP사고력 수학은 풍부한 개념과 여러 가지 문제해결의 원리를 캐릭터들과 함께 재미있게 살펴본 후, 유형별로 충분히 연습할 수 있도록 하였습니다. 더불어 "사고력 쑥쑥" 이라는 이름의 별도 구성을 두어 주제별 학습 이후에 다양한 문제를 해결하면서 주제별 다지기 학습을 할 수 있도록 했습니다.

수학적 "깜냥" 키우기

깜냥의 뜻 - 스스로 일을 헤아릴 수 있는 능력
TOP사고력 수학의 학습 목표는 처음 보는 문제를 만나더라도 문제가 요구하는 바를 정확하게 파악하고 스스로 해결할 수 있는 능력, 즉 수학적 깜냥을 키우는 것입니다. 그런 의미에서 이 책의 주인공은 깜냥에서 따온 깜이와 냥이라는 두 아이와 수학 선생님입니다. 다양한 실전 문제를 해결하기에 앞서서 개념과 원리를 깜이, 냥이와 선생님이 이야기하듯이 재미있게 알려 줍니다.

깜이

냥이

선생님

스토리텔링 수학!

스토리텔링의 본질은 이야기를 전달하는 것이 아니라 말하는 사람과 듣는 사람 간의 상호 작용을 통해서 듣는 사람이 스스로 생각하면서 이해할 수 있도록 하는 것입니다. TOP사고력 수학은 만화나 이야기를 매개체로 하여 내용을 전달하는 형식적인 스토리텔링이 아니라 아이에게 상황을 그림으로 보여주고 질문을 하고, 활동 자료로 직접 해 볼 수 있도록 하고, 게임을 하면서 연습할 수 있도록 하는 가장 효과적인 스토리텔링 수학입니다.

체계적 구성과 충분한 연습으로 사고력 쑥쑥!!

각 단원의 시작은 "생각열기"로 학생들이 공부할 주제에 대해 먼저 생각해 보도록 질문을 던지고, 다음 쪽에서 선생님의 설명이 이어집니다. 작은 주제별로도 상황에 맞는 개념과 원리를 충분히 알아본 후, "탐구 유형"에서 유형별로 문제를 다루어 보도록 하였습니다. 단원의 마지막인 "TOP 사고력" 에서는 실전 사고력 문제로 단원을 마무리하게 됩니다.
책의 뒷부분에는 각 단원의 복습 및 다지기를 할 수 있는 "사고력 쑥쑥"을 두어 충분한 연습으로 공부한 내용을 자기 것으로 만들 수 있도록 하였습니다.

예비 활동 가이드

TOP사고력 수학 A/B 시리즈는 실전에 강한 수학 공부를 목표로 하기 때문에 교구의 도움 없이 문제 해결을 하도록 하였습니다. 그 대신 주제에 따라 스스로 원리를 이해하고 문제를 해결하는데 도움이 되도록 예비 활동 가이드를 두어 필요에 따라 문제를 해결해 보기 전에 해 볼 수 있는 활동을 제시하였습니다.

저자 동영상 강의

정답지에서 글로 전달하기 힘든 교육 방법, 활용의 예, 개념의 확장 등의 동영상을 제공합니다. 동영상은 PC에서 볼 수도 있고, QR코드를 이용하여 모바일로 이용할 수도 있습니다.

TOP 사고력 수학 시리즈

- **영역별 나선형식 반복 학습 구조**
- **나이, 학년 단계별 수학의 각 영역 비중 차등**
- **경시, 영재교육원 등의 최신 문제 경향 반영**

유아 단계와 초등 단계의 학습 목표

- **K/P시리즈 -** 초등 입학 전 알아야 할 필수적인 수학 개념을 익히면서 수감각, 공간지각력, 논리력, 문제 이해력 등 수학적 직관력을 키우기
- **A/B시리즈** - 초등 저학년을 대상으로 수학 경시, 영재교육원의 대비와 최상위권으로 이끌기

시리즈별 학습 단계

- **K시리즈** - 수학의 시작 단계(6~7세)
- **P시리즈** - 초등 입학 준비 단계(7~8세)
- **A시리즈** - 초등 1학년 과정을 마친 학생을 대상으로 한 심화 사고력(초1~초2)
- **B시리즈** - 초등 2학년 과정을 마친 학생을 대상으로 한 심화 사고력(초2~초3)

TOP 사고력 수학의 구성

생각열기

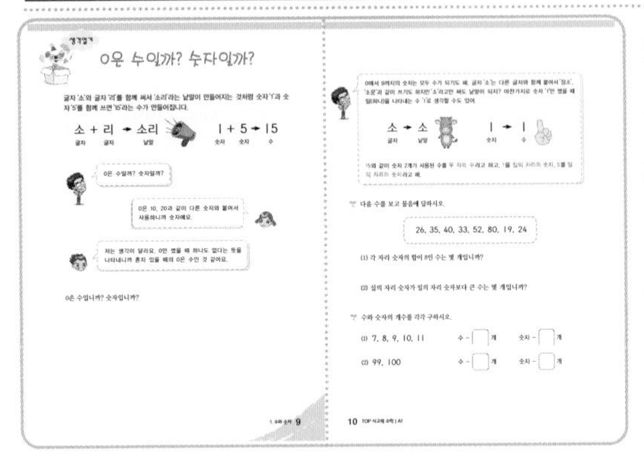

각 단원의 첫 페이지는 공부할 주제에 대한 발문의 역할을 하는 "생각열기"입니다.
재미있게 공부할 주제에 대한 호기심을 유발하고, 간단한 질문에 답하도록 합니다. 꼭 정답을 맞추기보다는 스스로 생각해 보는 것에 초점을 맞추도록 합니다.
스스로 먼저 생각하는데 방해가 되지 않도록 질문에 대한 설명은 종이를 1장 넘기면 다음 쪽에 있습니다.

원리 탐구

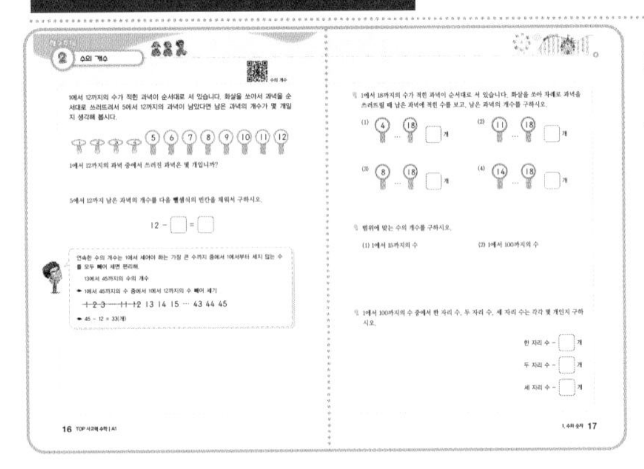

작은 주제별로 개념과 문제해결의 원리를 알아보고, 확인 문제를 해결해 봅니다.

탐구 유형

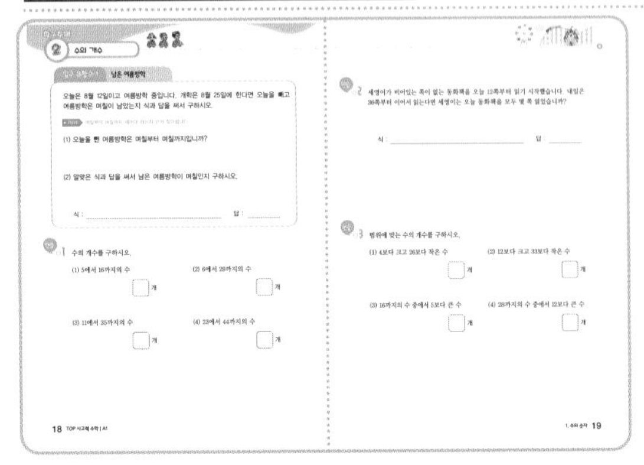

주제별로 여러 가지 유형별 문제를 공부합니다. 문제해결의 원리를 발견할 수 있도록 단계적으로 질문에 따라 문제를 해결해 보고, 연습 문제를 공부합니다.

TOP 사고력

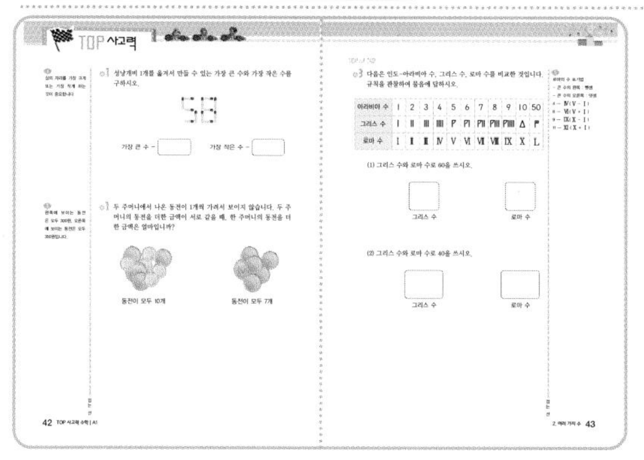

주제별 최고 난이도의 심화 문제를 공부합니다.

사고력 쑥쑥

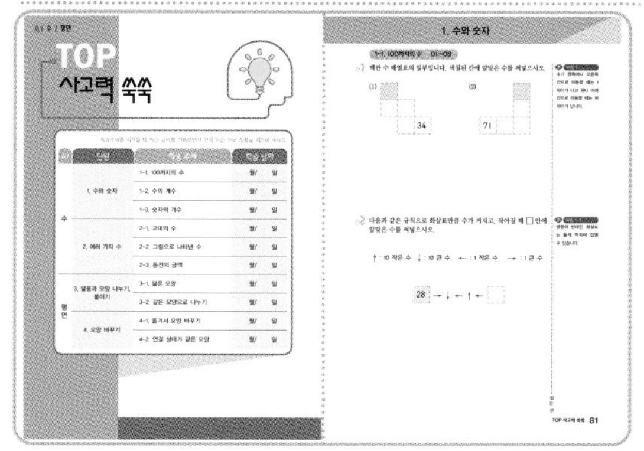

81쪽에서 112쪽까지 32쪽에 걸쳐서 앞에서 공부한 부분을 스스로 복습하고 다지기 하도록 합니다. 80쪽에는 작은 주제의 복습을 시작하는 날짜를 적어서 한 권을 마치는 동안 공부한 시간을 한 눈에 볼 수 있도록 했습니다.

예비 활동 가이드와 활동 자료

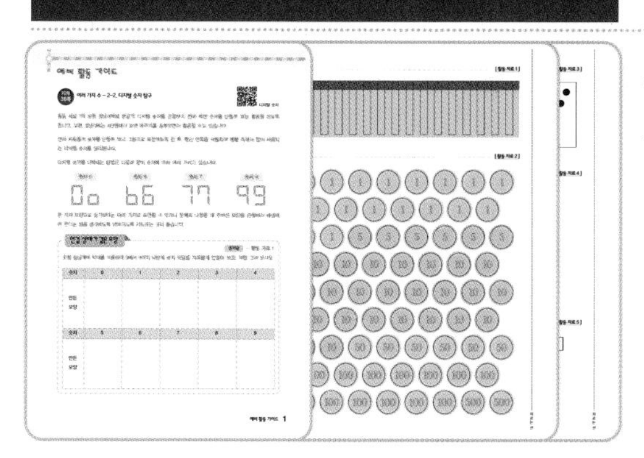

본문을 공부하기 전에 예비 활동을 소개하고 활동에 필요한 활동 자료가 들어 있습니다.

A 시리즈의 학습 내용

A1

수	1. 수와 숫자
	2. 여러 가지 수
평면	3. 닮음과 모양 나누기, 붙이기
	4. 모양 바꾸기

A2

측정	1. 비교하기
	2. 저울산과 넓이
연산	3. 연산 퍼즐
	4. 수와 식 만들기

A3

수	1. 수의 크기
	2. 조건에 맞는 수
평면	3. 모양 겹치기
	4. 모양의 개수

A4

연산	1. 지워진 연산 퍼즐
	2. 모양이 나타내는 수
입체	3. 쌓기나무의 관찰
	4. 입체 모양과 주사위

A5

규칙	1. 여러 가지 규칙
	2. 약속과 규칙
논리	3. 논리적 추론
	4. 논리 판단 퍼즐

A6

확률과 통계	1. 기준과 분류
	2. 다양한 방법의 수
문제 해결	3. 조건에 맞게 직접 해 보기
	4. 문제를 해결하는 방법

동영상 강의를 활용해요.

단원의 목차에는 동영상 이라는 표시가, 각 페이지의 윗부분에는 QR 모양이 있으면 동영상 강의가 있다는 뜻입니다. 동영상 강의에서는 문제를 해결하는 원리를 좀 더 쉽게 설명해 줍니다. 어려운 부분은 동영상 강의를 이용할 수 있습니다.

예비 활동을 활용해요.

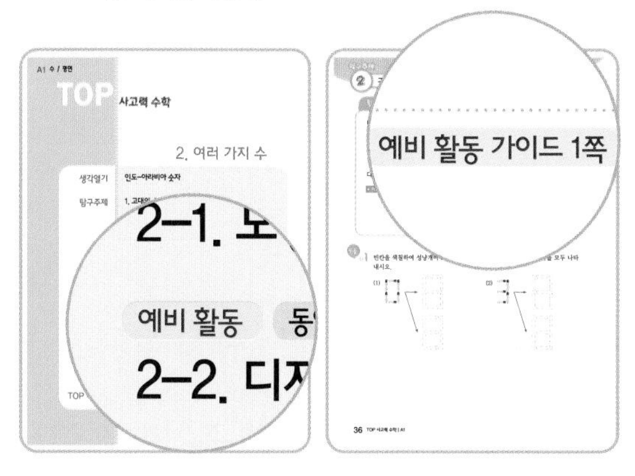

단원의 목차에는 예비활동 이라는 표시가, 각 페이지의 윗부분에는 예비활동 가이드 1쪽 표시가 있으면 문제를 풀기 전에 해 보면 좋은 활동이 있다는 뜻입니다.
예비 활동 가이드와 활동 자료를 이용하여 활동이나 게임을 먼저 해 보고 나서 책의 문제를 풀어보면 좀 더 재미있고, 쉽게 문제를 해결할 수 있습니다.

접는 선을 따라 종이를 접고 문제를 풀어요.

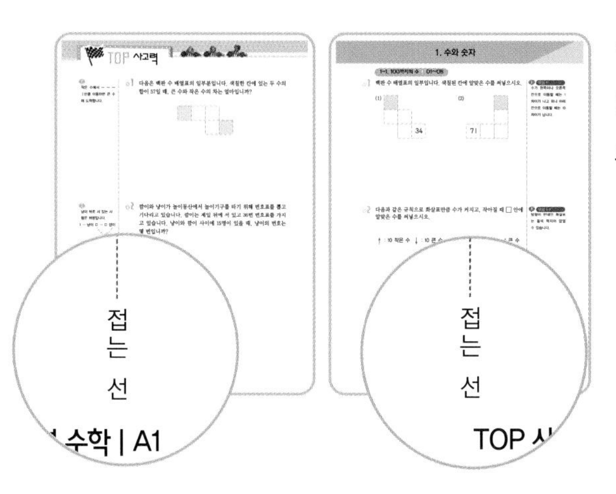

"TOP 사고력"과 "사고력 쑥쑥"에는 접는 선이 표시되어 있습니다. 접는 선 표시에 따라 종이를 접고 문제를 풀고, 어려운 경우 종이를 펼쳐서 도움글을 보고 해결해 봅니다.

TOP 사고력 수학

1. 여러 가지 규칙

생각열기

글자 이어서 말하기

깜이와 냥이는 '탕수육' 이라는 단어를 한 글자씩 순서대로 번갈아 가면서 계속 말하는 게임을 하고 있습니다.

주변의 부모님이나 친구에게 규칙을 알려주고 깜이와 냥이처럼 실제로 게임을 해 보시오.

먼저 시작했을 때와 나중에 시작했을 때 어떻게 해야 게임을 좀 더 쉽게 이길 수 있습니까?

게임을 실제로 할 때 내가 말해야 하는 글자 순서가 어떻게 되는지 생각해 봐.

'탕수육' 말하기 게임은 순서대로 상대편 다음에 올 글자만 생각해서 말하면 되는 단순한 게임이지만 자신이 말하는 글자의 순서에서 규칙을 발견하기 좋은 게임이야.

➔ 빨간색 글자( )가 반복되는 규칙 : 탕 - 육 - 수
파란색 글자( )가 반복되는 규칙 : 수 - 탕 - 육

전체 규칙은 하나이지만 처음 말하는 사람과 나중에 말하는 사람은 각각 다른 규칙을 발견할 수 있어. 이 단원에서는 이렇게 서로 다른 두 가지 규칙이 한 번에 나올 때, 전체의 규칙이 어떻게 변하는지 살펴볼 거야.

깜이, 냥이, 주영이, 송연이가 다음과 같이 차례를 정해서 1부터 100까지 수를 순서대로 하나씩 말하고 있습니다. 이때, 깜이와 냥이가 말해야 하는 수를 차례로 3개씩 쓰시오.

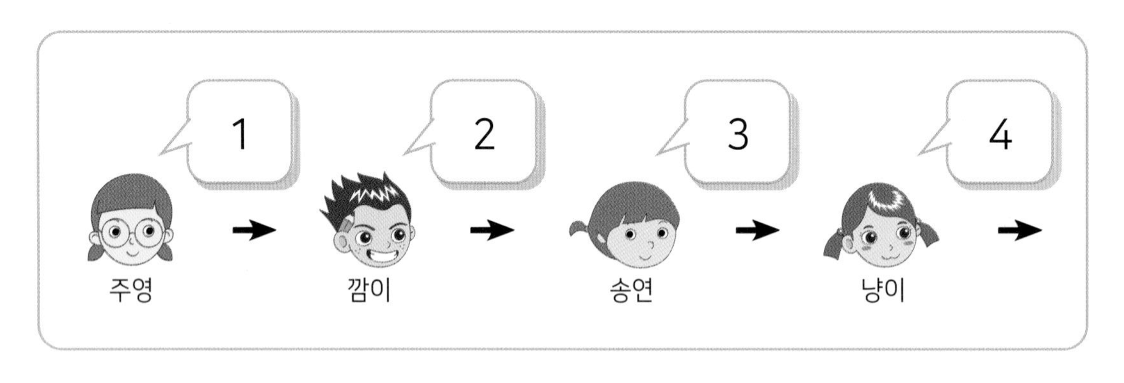

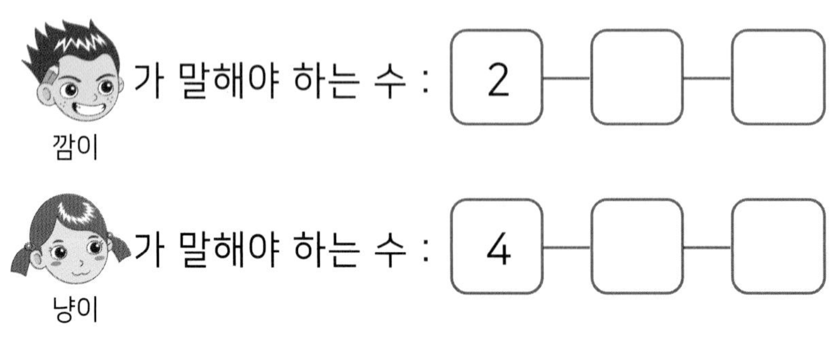

전광판과 반전 규칙

깜이와 냥이는 전광판에서 아래와 같은 순서로 불이 켜지는 나무 모양을 보고 있습니다.

 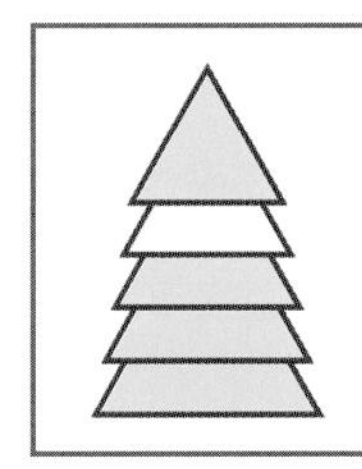 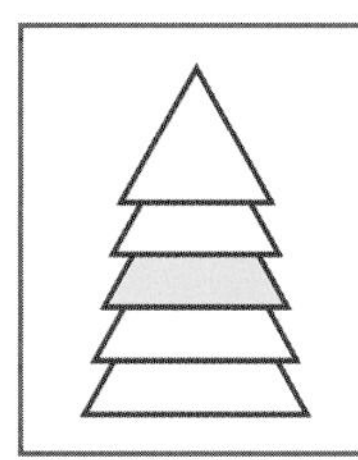 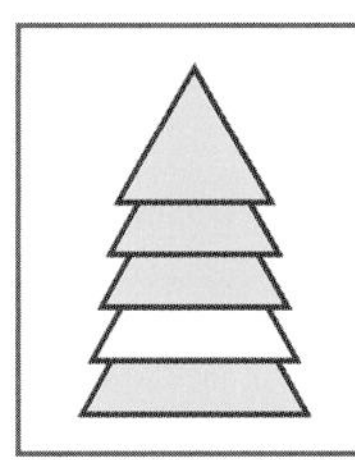  

한 칸씩 아래로 뭔가 내려가는 것 같긴 한데...

잘 살펴보면 규칙이 있을 거야.

불이 켜진 칸의 개수를 순서대로 나타내려고 합니다. 규칙을 찾아 □ 안에 알맞은 수를 써넣으시오.

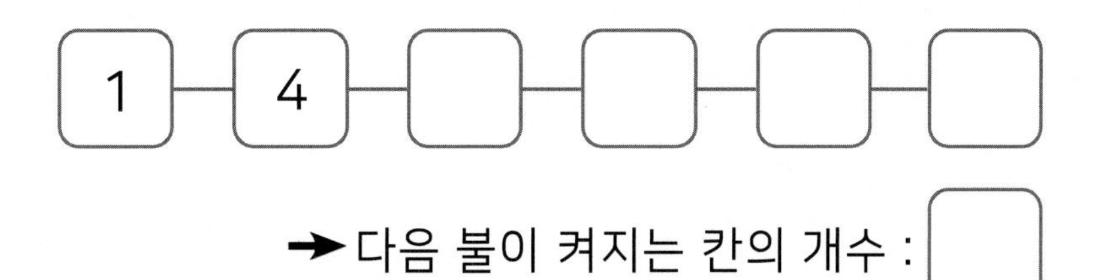

➔ 다음 불이 켜지는 칸의 개수 : □

다음 모양을 색칠하여 그리시오.

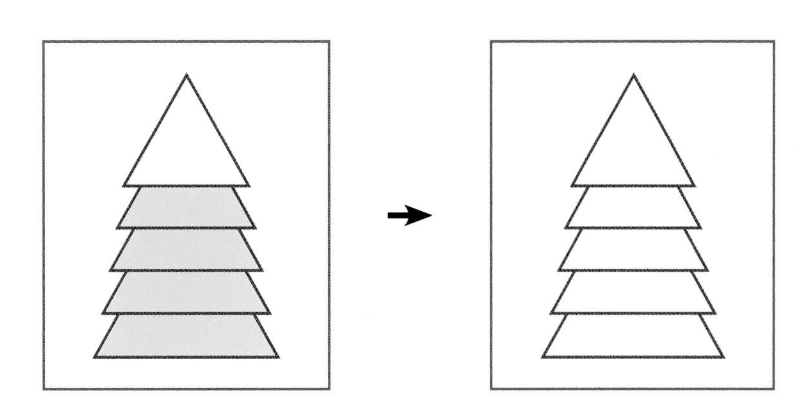

탐구주제 1 전광판과 반전 규칙

색을 서로 반대로 바꾸어 그리는 것을 반전이라고 합니다. 흰색 바탕에 파란색 글자를 반전하면 파란색 바탕에 흰색 글자가 됩니다.

TOP 사고력

TOP 사고력

원래 모양과 색을 반전한 모양을 반복하면 새로운 규칙을 만들 수 있는데 이를 반전 규칙이라고 합니다.

반전규칙이 되도록 빈 곳을 알맞게 색칠해 보시오.

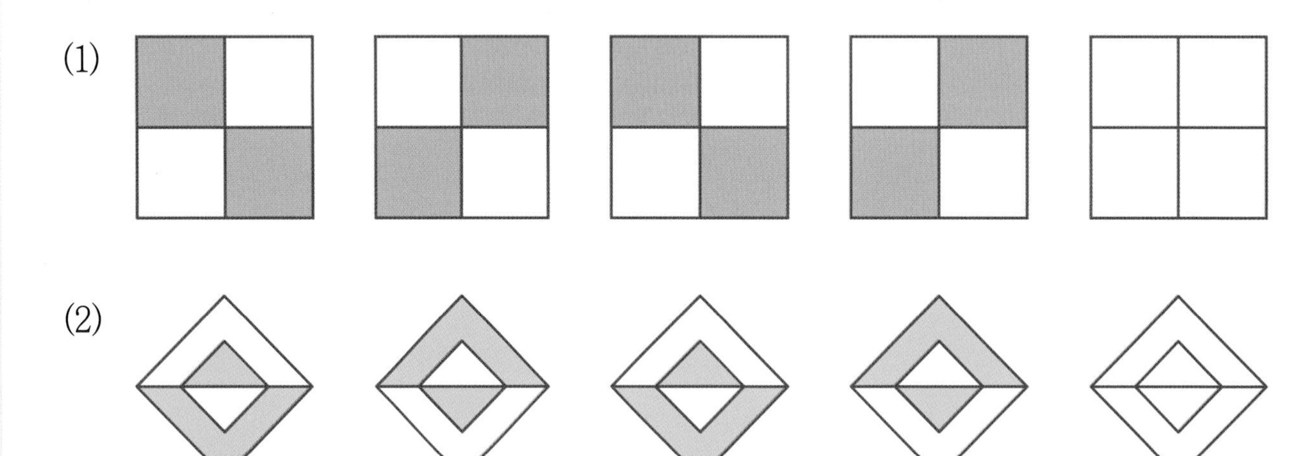

모양이 반복되면서 색이 반전인 이중규칙을 만들었습니다. □ 안에 알맞은 모양을 그리시오.

(1)

(2)

탐구 유형 1-1 반전 규칙 찾기

보기 와 같은 규칙을 가지고 있는 것의 기호를 쓰시오.

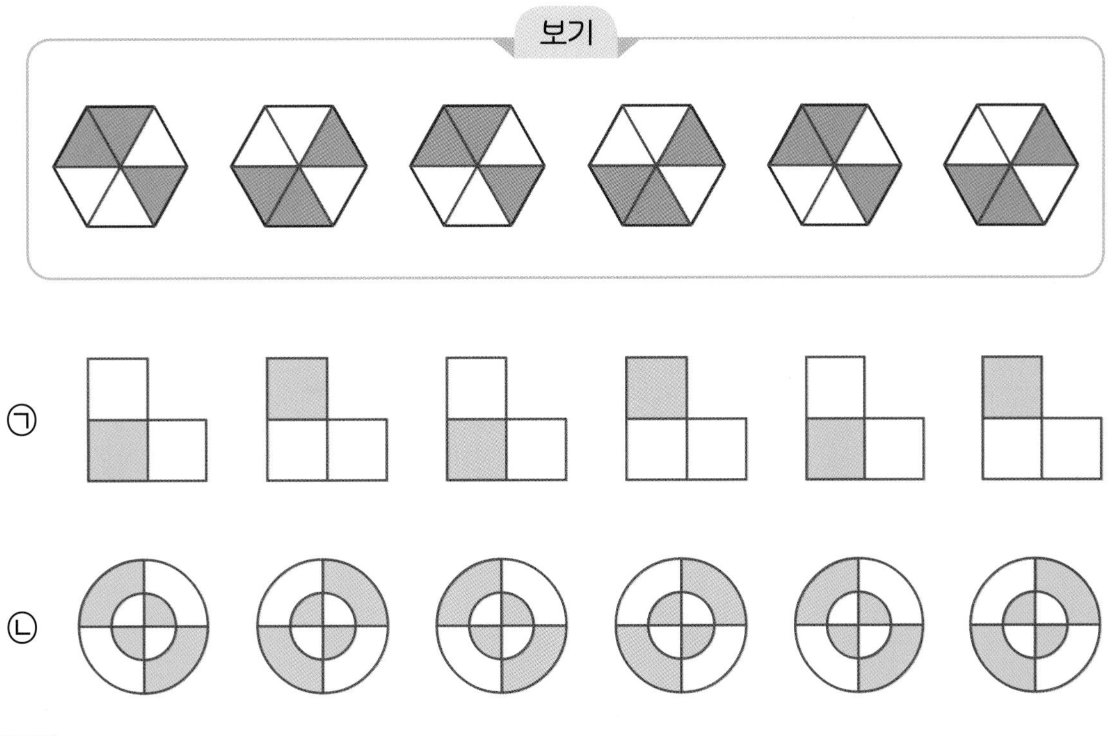

• Point 보기는 원래 모양과 색을 반전한 모양이 반복되고 있습니다.

연습

01 규칙이 되도록 빈 곳을 알맞게 색칠하시오.

(1)

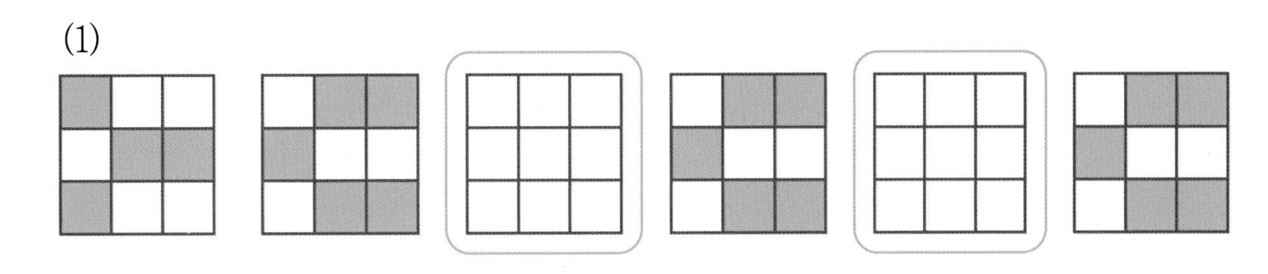

(2)

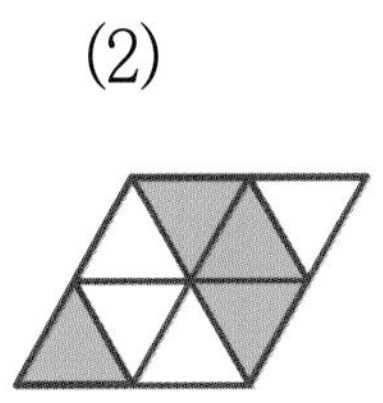
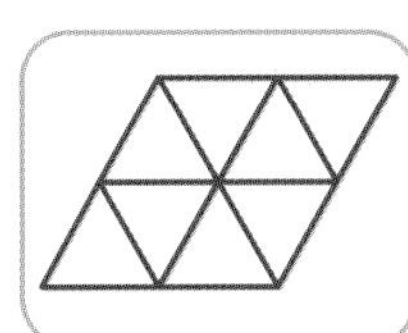
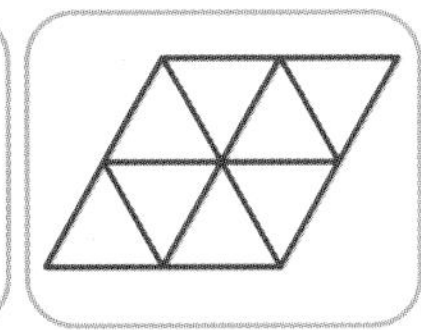
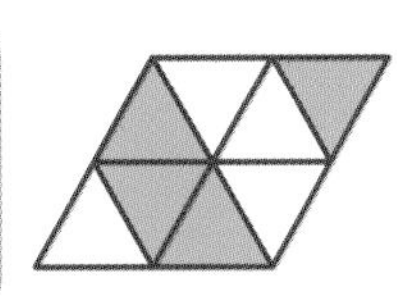
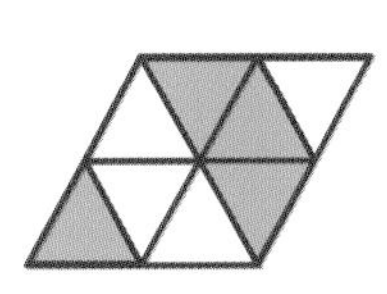
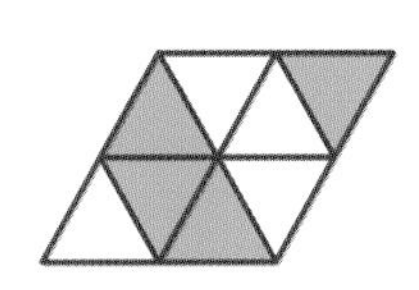

전광판과 반전 규칙

탐구 유형 1-2 불 켜진 전구

순서대로 전구의 불이 켜집니다. 마지막 칸에서 불이 켜지는 전구를 모두 색칠하시오.

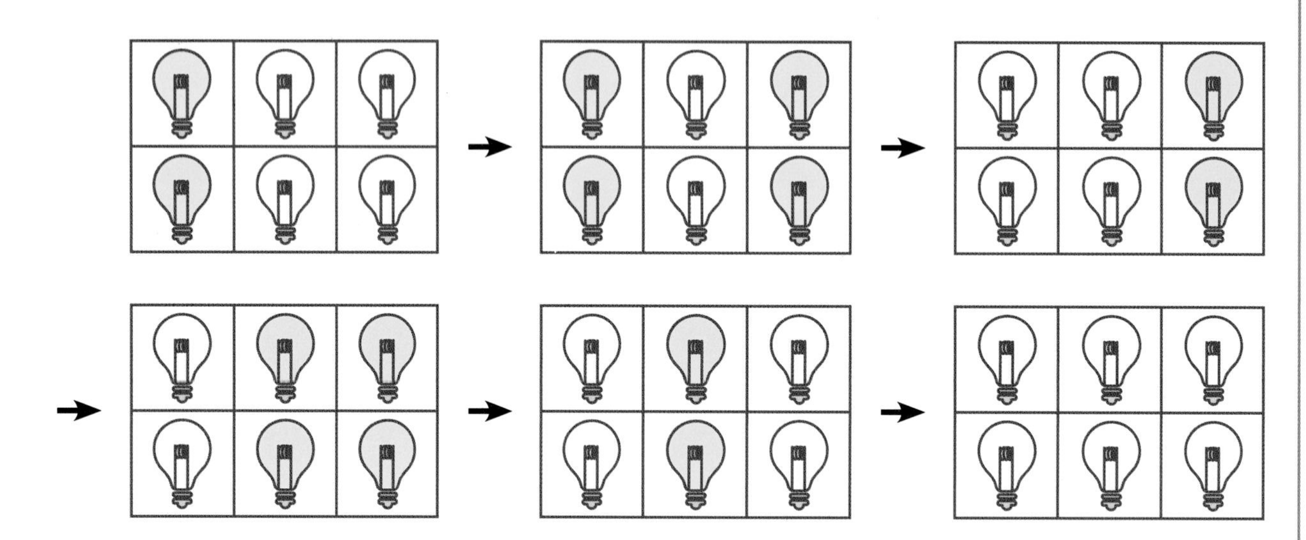

• Point 항상 2개의 전구가 켜져 있거나 꺼져 있습니다.

(1) 마지막 칸에서 불이 켜지는 전구는 몇 개입니까?

(2) 규칙에 맞게 마지막 칸에 불이 켜지는 전구에 모두 색칠하시오.

연습

01 마지막 칸을 규칙에 맞게 색칠하시오.

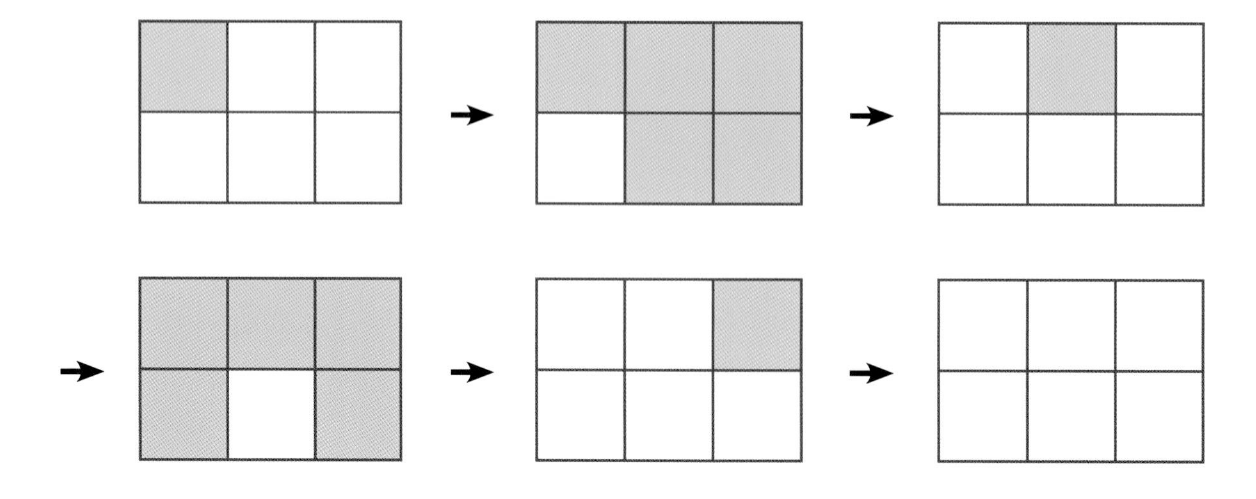

습

02 마지막 칸에 규칙에 맞게 알맞은 모양을 그려 넣으시오.

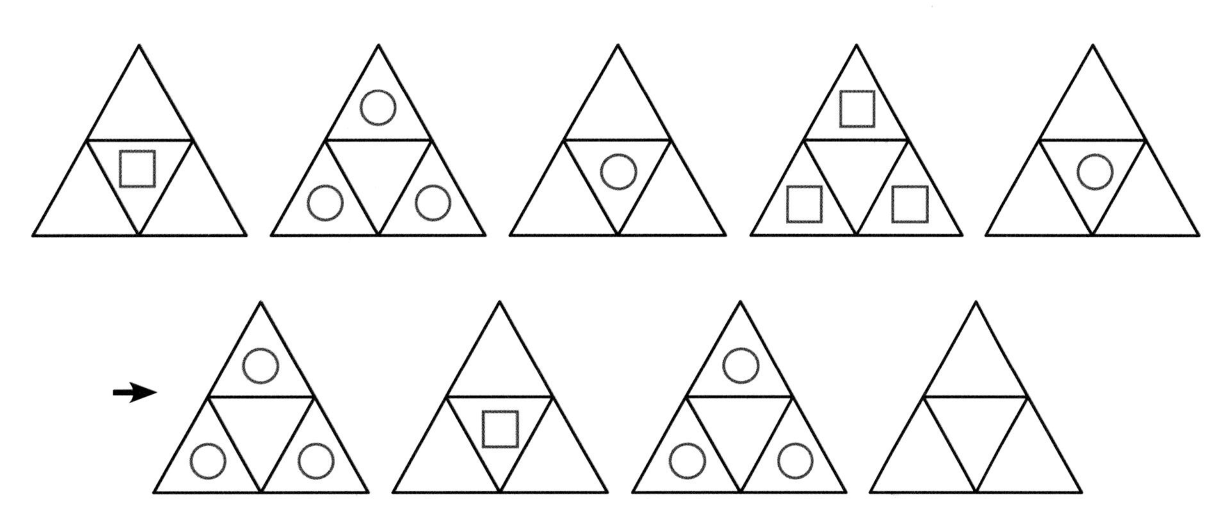

습

03 창문이 규칙적으로 불이 꺼졌다 켜졌다 하고 있습니다. □ 안의 빈 창문을 규칙에 맞게 색칠하시오.

1 전광판과 반전 규칙

탐구 유형 1-3 **바둑돌의 규칙**

규칙적으로 흰색과 검은색 바둑돌을 늘어놓았습니다. 빈 곳에 알맞은 바둑돌의 모양을 그리시오.

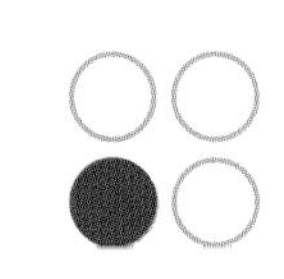

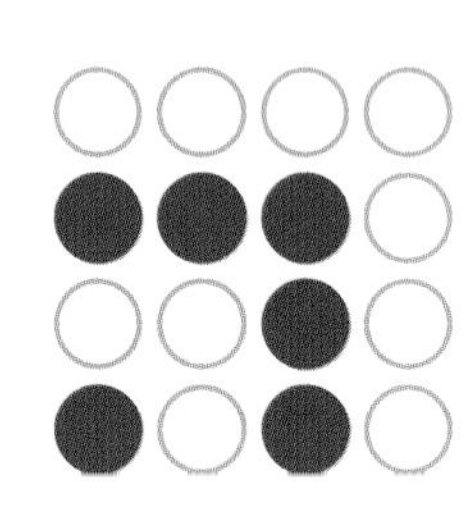
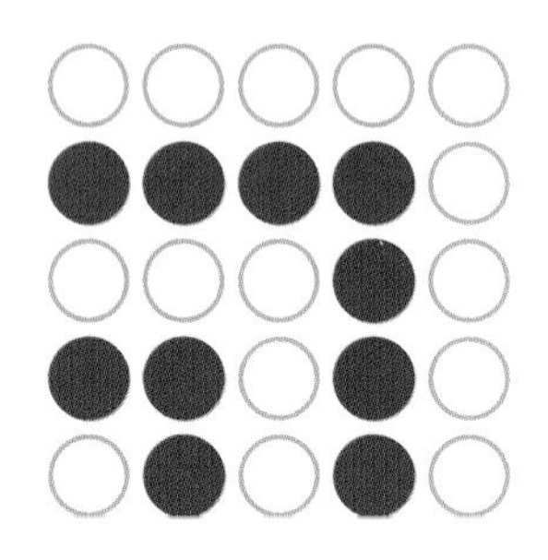

• Point 규칙을 찾아 모양만 먼저 그린 다음 검은색 바둑돌이 놓일 자리를 색칠합니다.

(1) 규칙을 찾아 빈 곳에 ○로 모양을 그리시오.

(2) 검은색 바둑돌이 놓여야 하는 자리의 ○를 모두 색칠하시오.

연습 01 규칙적으로 흰색과 검은색 바둑돌을 늘어놓았습니다. 빈 곳에 알맞은 바둑돌의 모양을 그리시오.

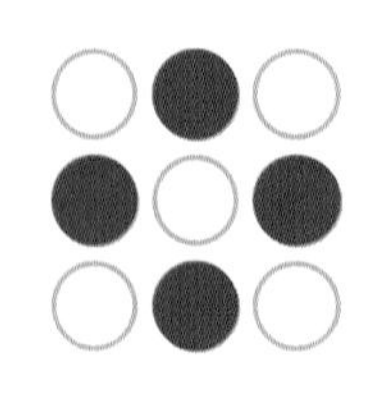
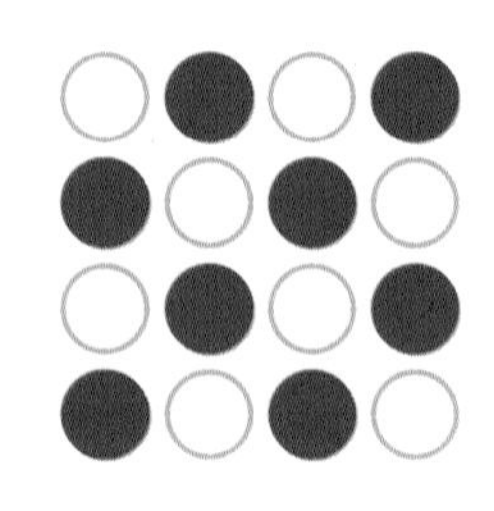
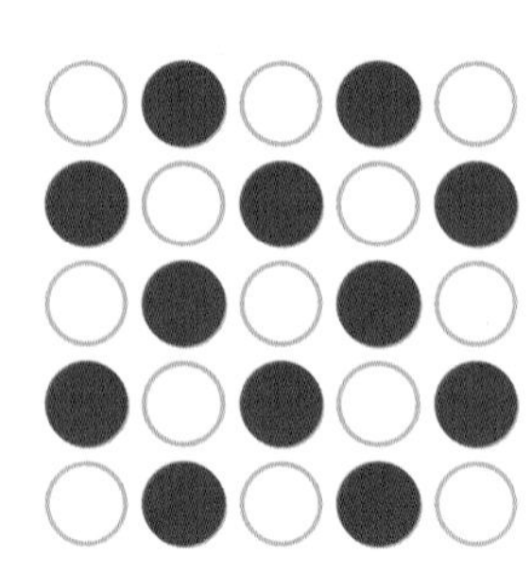

수로 나타낸 규칙

어느 제과점의 제빵사가 규칙을 정해서 빵을 진열하고 있습니다.

빵이 늘어나는 개수를 세어 빈칸에 알맞은 수를 써넣으시오.

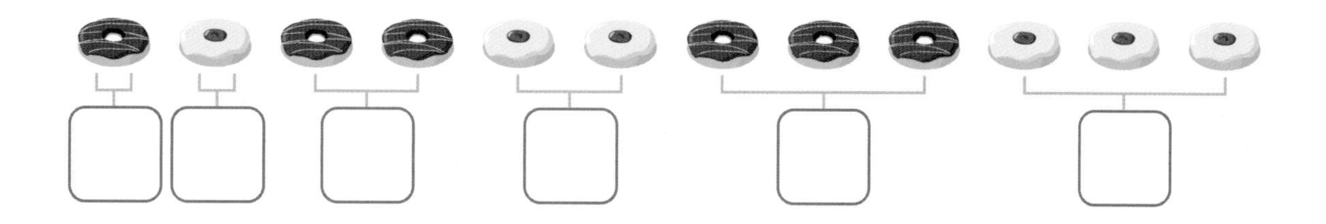

규칙을 찾아 맞는 빵에 ○표를 하고 □ 안에 알맞은 수를 써넣으시오.

➔ 다음 진열할 빵은 (   )이고 □ 개를 놓아야 합니다.

과자가 놓인 규칙을 찾아 맞는 과자에 ○표를 하고 □ 안에 알맞은 수를 써넣으시오.

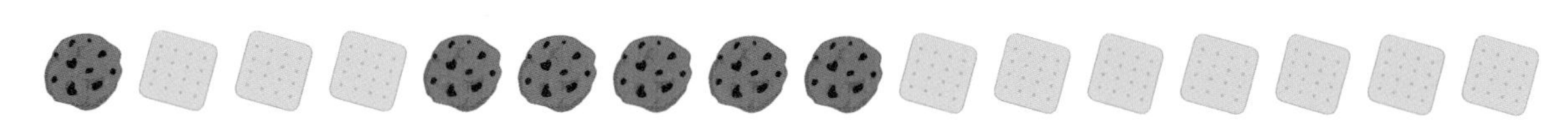

➔ 다음 놓을 과자는 (   )이고 □ 개를 놓아야 합니다.

탐구주제

2 수로 나타낸 규칙

수가 나열된 규칙을 보고 □ 안에 알맞은 수를 써넣으시오.

(1) 1, 4, 7, 10, 13, 16, □, 22, 25, …

(2) 54, 50, 46, 42, 38, □, 30, 26, 22, …

(3) 1, 3, 3, 5, 5, 5, 7, 7, 7, □, 9, 9, 9, 9, 9 …

(4) 1, 3, 6, 8, 11, 13, □, 18, 21, 23, …

(5) 4, 5, 7, 10, 11, 13, □, 17, 19, 22, …

(6) 1, 3, 7, 8, 10, 14, 15, □, 21, 22, 24, 28 …

(7) 30, 29, 28, 26, 25, 24, □, 21, 20, 18, …

(8) 1, 4, 2, 5, 3, 6, 4, □, 5, 8, 6, 9, …

(9) 2, 3, 5, 8, 12, 17, □, 30, 38, 47, …

(10) 50, 40, 31, 23, 16, □, 5, 1, …

수가 나열된 규칙을 잘 알고 있으면 규칙적으로 나열된 모양을 수로 바꿔서 해결하는데 도움이 돼.

탐구 유형 2-1 모양의 개수

쌓기나무로 쌓은 모양이 늘어나는 규칙을 찾아 10번째 모양에 쌓아야 하는 쌓기나무의 개수를 구하시오.

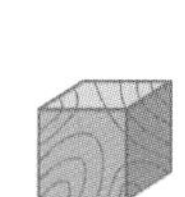 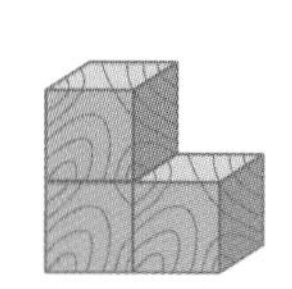 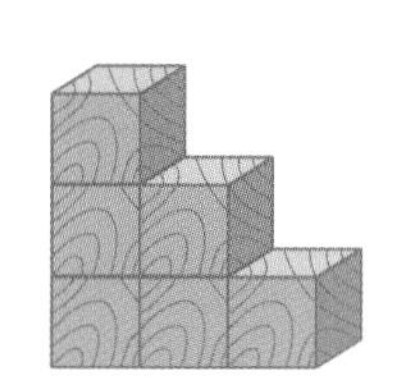 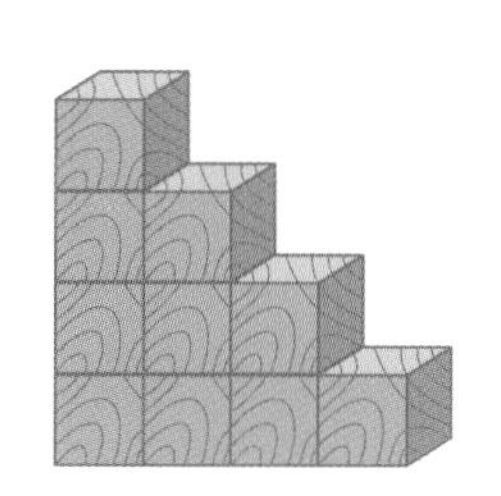 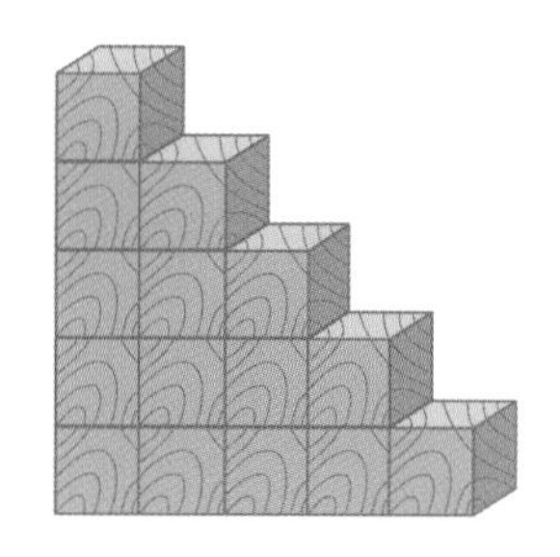 …

• Point 쌓기나무의 개수를 수로 바꾸어 규칙을 발견합니다.

(1) □ 안에 쌓은 쌓기나무의 개수를 순서대로 써넣으시오.

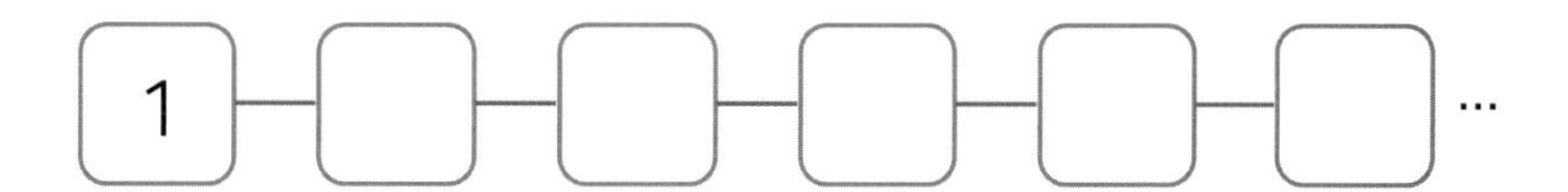

(2) 몇 개씩 늘어나는 규칙을 발견하여 10번째 쌓아야 하는 쌓기나무의 개수를 구하시오.

01 모양이 규칙적으로 나열되어 있습니다. 이때, 10번째에 오는 ● 모양의 개수를 구하시오.

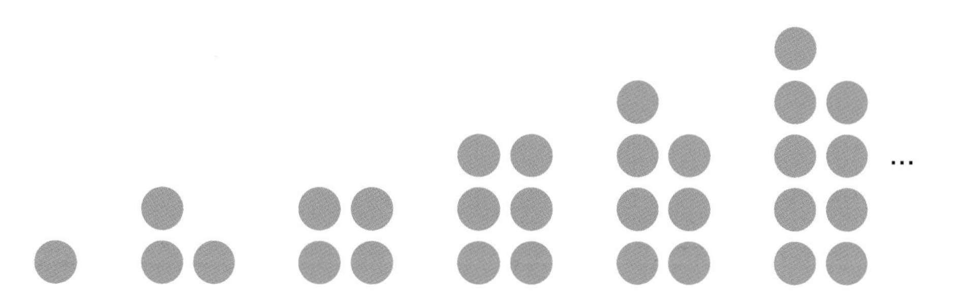

2 수로 나타낸 규칙

연습 02 블럭이 규칙적으로 나열되어 있습니다. 다음에 놓이는 블럭의 개수를 구하시오.

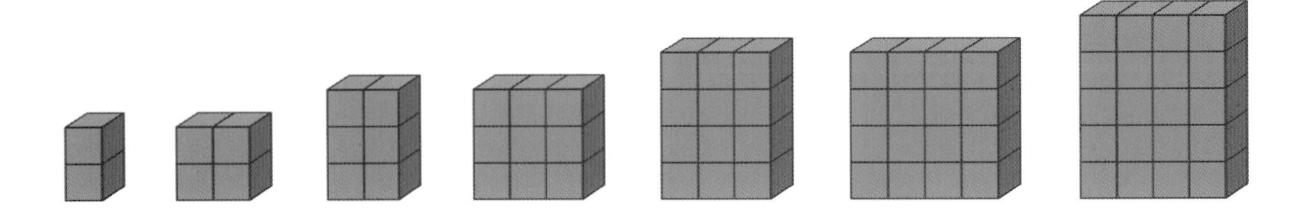

연습 03 ■ 모양이 규칙적으로 나열되어 있습니다. 10번째에 놓이는 ■ 모양의 개수를 구하시오.

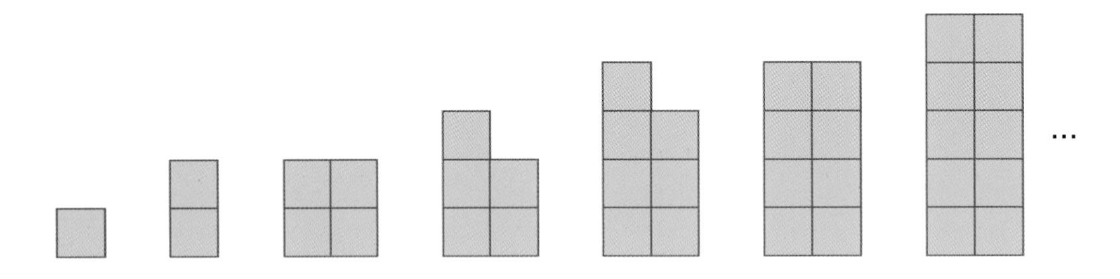

탐구 유형 2-2 **두 색깔의 개수**

두 가지 색을 가진 규칙이 있습니다.

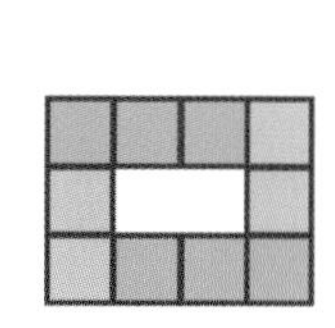 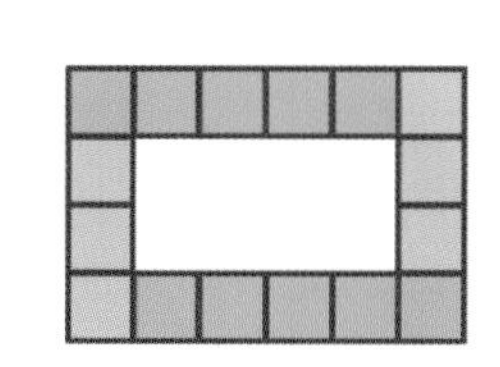 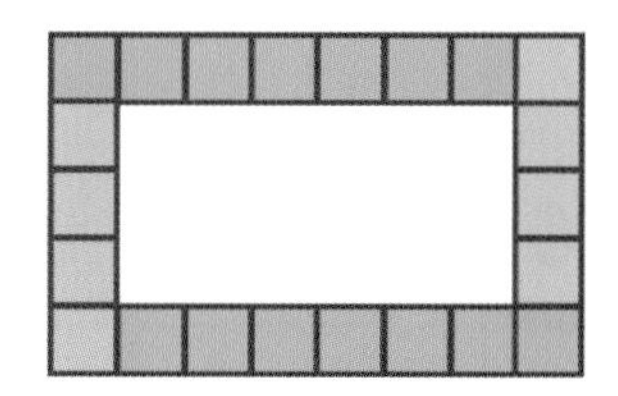 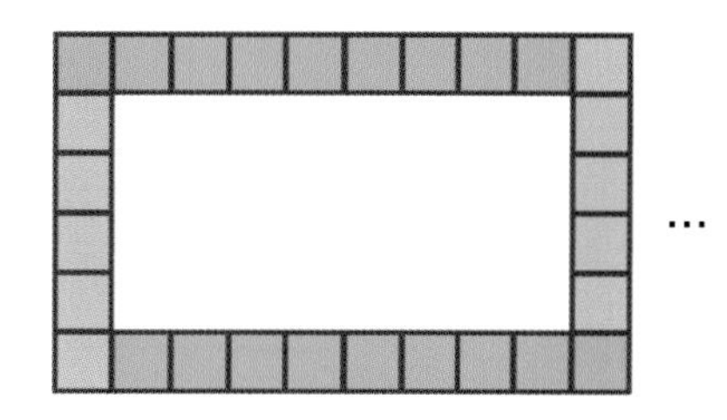 ...

□ 안에 차례대로 두 색깔의 개수의 차를 쓰고 50번째에 놓이는 ■ 색깔의 개수는 ■ 색깔의 개수보다 몇 개 더 많은지 구하시오.

두 색깔의 개수의 차 : [2]—[ ]—[ ]—[ ] ···

➔ 50번째에서 ■ 색깔은 ■ 색깔보다  개 더 많습니다.

• Point 개수의 차가 늘어나는 규칙을 각각 수로 나타낸 다음 규칙을 찾아봅니다.

습

01 바둑돌이 규칙적으로 나열되어 있습니다. 20번째 놓이는 흰색 바둑돌은 검은색 바둑돌보다 몇 개 더 많은지 구하시오.

 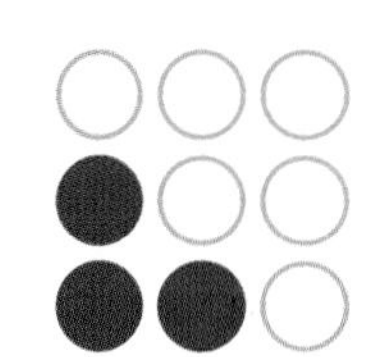 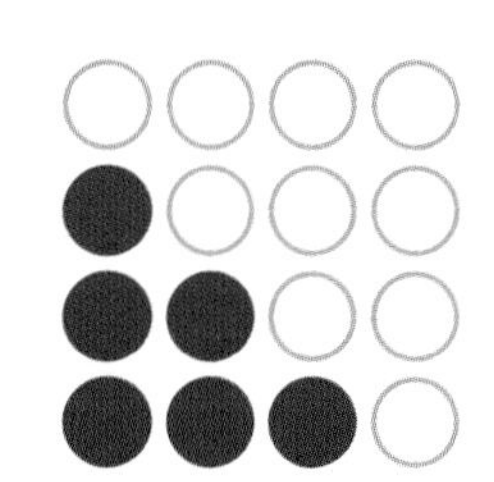 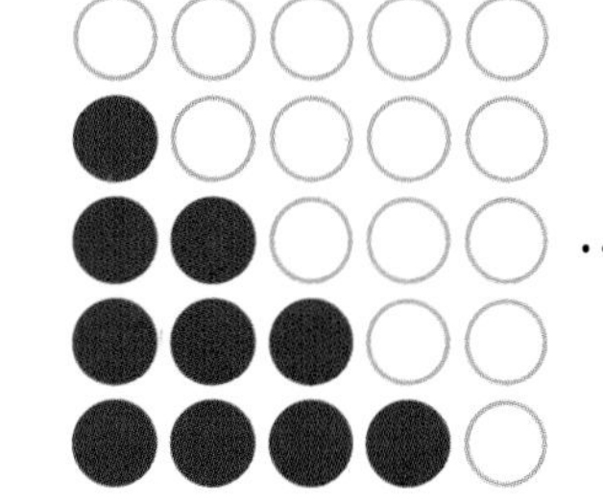 ···

수로 나타낸 규칙

탐구 유형 2-3 수 배열표의 규칙

수 배열표에 1부터 규칙적으로 수를 써 나갈 때, 색칠된 칸의 수를 구하시오.

1	5	9				
2	6	10				
3	7					
4	8					(색칠된 칸)

• Point 오른쪽으로 한 칸 움직일 때마다 수가 몇 씩 커지는지 알아봅니다.

(1) 오른쪽으로 한 칸을 움직이면 수가 몇 씩 커지는지 구하시오.

(2) 4에서 한 칸씩 오른쪽으로 움직일 때의 수를 순서대로 쓰시오.

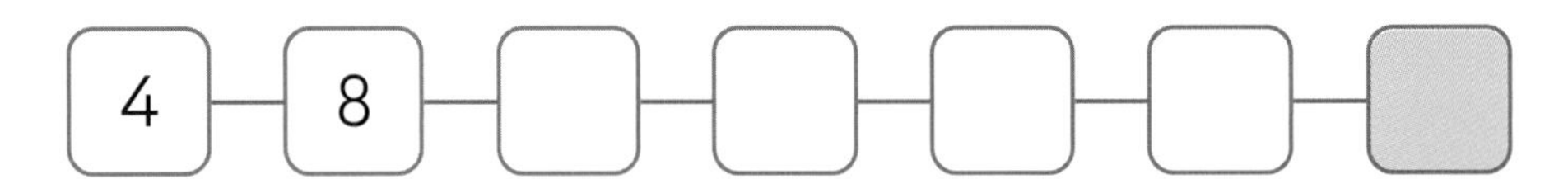

연습 01 수 배열표에 1부터 규칙적으로 수를 써 나갈 때, 색칠된 칸의 수를 구하시오.

1	2	3	4	5
6	7	8	9	10
11				
(색칠된 칸)				

02 수 배열표에 1부터 규칙적으로 수를 써 나갈 때, 가 칸의 수를 구하시오.

1	2	3	4	5	6	7	8
9	10	11	12	13	14	15	16
17							
				가			

03 다음 표에 규칙적으로 수를 모두 채우려고 합니다. ㉠에 알맞은 수를 구하시오.

2	4	6	8	10	12
14	16	18	20	22	24
26					
					㉠

TOP 사고력

반전, 모양, 위치의 규칙을 잘 살펴봅니다.

01 빈 곳에 규칙에 맞게 알맞은 모양을 그리시오.

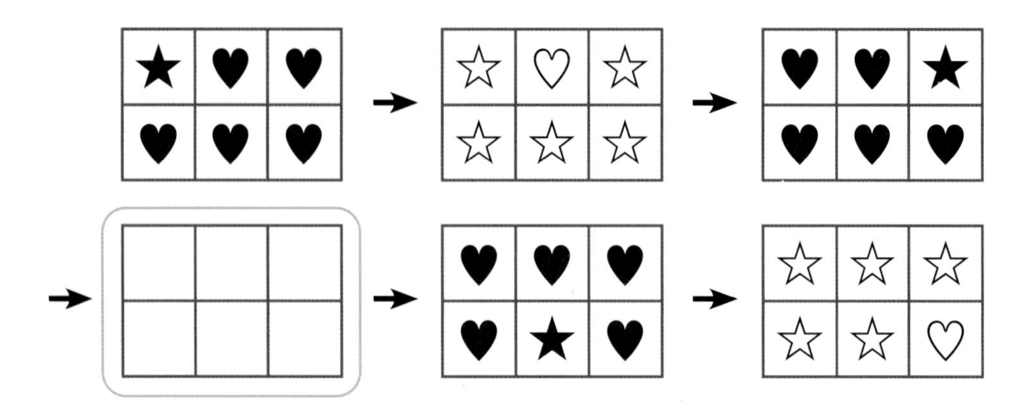

흰색 바둑돌은 홀수 번째에 검은색 바둑돌은 짝수 번째에 일정한 규칙으로 개수가 늘어납니다.

02 규칙적으로 흰색과 검은색 바둑돌을 늘어놓았습니다. 6번째에 놓일 검은색 바둑돌의 개수를 구하시오.

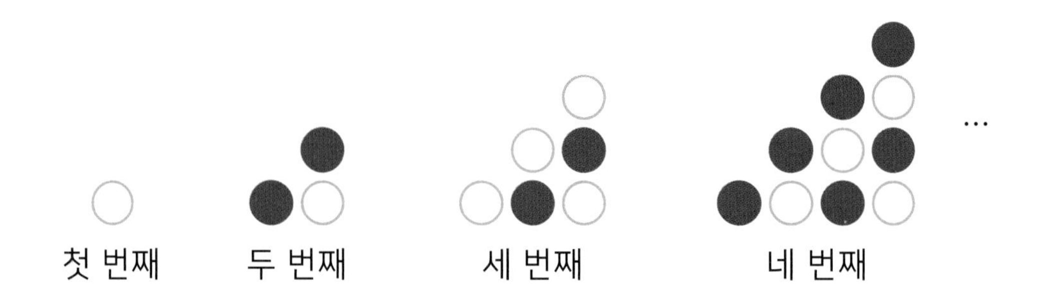

접는 선

03 냥이가 수 배열표에 규칙적으로 수를 모두 채워놨는데 배열표가 찢어져 일부만 남았습니다. 원래의 배열표에서 39 바로 윗 칸의 수는 얼마인지 구하시오.

1	2	3	4	5	6	7
8	9	10	11	12	13	14
						21

위, 아래의 두 수 사이에 규칙이 있습니다.

TOP of TOP

04 그림과 같은 규칙으로 색을 칠해 나가려고 합니다. 이때, 열번째 줄에서 색칠되지 않은 세모는 몇 개인지 구하시오.

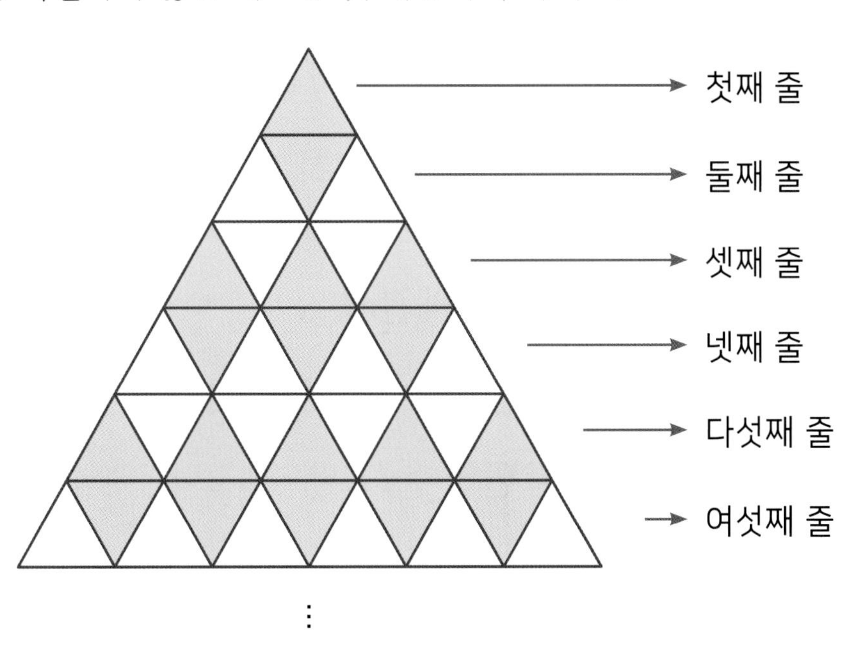

두 줄씩 색칠된 세모의 개수가 같습니다.

접는 선

TOP 사고력 수학

2. 약속과 규칙

생각열기

자동차 번호판에 숨겨진 약속

자동차의 번호판을 보면 미리 약속한 규칙으로 자동차의 종류, 사용 용도 등을 알 수 있습니다.

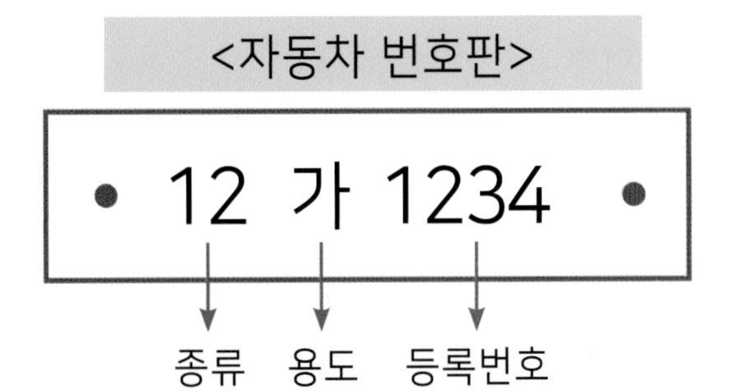

사람들이 주민등록번호를 받는 것과 마찬가지야!

번호판의 가운데 글자를 보면 자동차의 용도를 알 수 있습니다.

모두 개인용이 아닌 사업을 하기 위한 차량이야.

택시(운송) : 아, 바, 사, 자

택배 차량(배송) : 배

렌터카(차량 대여) : 하, 허, 호

개인용 차량 번호판에 모두 ○표 하시오.

• 12 가 1234 •	• 83 배 1234 •	• 34 사 1234 •
• 45 호 1234 •	• 56 무 1234 •	• 67 저 1234 •

번호판의 앞의 두 자리 수는 자동차의 종류에 따라 아래와 같이 구분해.

일반 승용차 : 01번~69번

승합차(11인용 이상 또는 버스) : 70번~79번

트럭, 화물차 : 80번~97번

번호판의 모양과 규칙은 자동차가 늘어나면서 계속 바뀌고 있어. 하지만 더 중요한 건 번호판과 같이 생활 속에서 다양한 약속과 규칙을 찾아볼 수 있다는 거야!

번호판에 맞는 자동차를 선으로 이으시오.

45 호 1234	화물차
68 오 1234	렌터카
93 배 1234	승용차
88 노 1234	택시
41 바 1234	택배 차량
72 루 1234	승합차

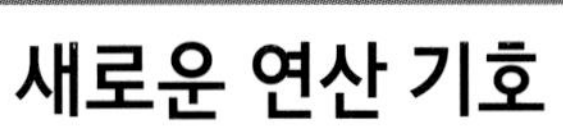

1 새로운 연산 기호

깜이는 꿈속에서 모양을 연산 기호로 사용하는 나라에 왔습니다.

3 ◆ 5 = 8	15 ◇ 7 = 8
4 ◆ 12 = 16	9 ◇ 1 = 8
7 ◆ 22 = 29	59 ◇ 6 = 53

연산 기호가 모양으로만 되어 있을 뿐 늘 해왔던 계산 방법 같은데?

규칙을 찾아 □ 안에 알맞은 수를 써넣으시오.

(1) 19 ◇ 9 = □　　(2) 8 ◇ 3 = □

(3) 6 ◆ 8 = □　　(4) 41 ◆ 8 = □

(5) 84 ◇ 2 = □　　(6) 35 ◆ 5 = □

규칙을 찾아내자 또 다른 문제들이 나타났습니다. □ 안에 알맞은 수를 써넣으시오.

(1) 11 ◇ □ = 6　　(2) 12 ◇ 4 ◆ 71 = □

(3) □ ◆ 14 = 17　　(4) 16 ◆ 3 ◇ 12 = □

(5) 28 ◇ □ = 23　　(6) 38 ◇ 31 ◇ 6 = □

모양이 두 수를 어떻게 계산하는지 알고 있으면 쉽게 해결할 수 있어.

1 새로운 연산 기호

문제를 해결하고 이웃 나라에 갔는데 다른 모양을 연산 기호로 사용하고 있습니다.

4 ★ 7 = 13　　21 ★ 5 = 28

5 ★ 13 = 20　　9 ★ 6 = 17

이번에는 생각을 조금 더 해봐야 할 걸?

이웃나라 수학자

★ 모양은 두 수를 어떻게 계산한 것인지 설명해 보시오.

규칙에 맞게 □ 안에 알맞은 수를 써넣으시오.

(1) 4 ★ 9 = □

(2) 45 ★ 5 = □

(3) 6 ★ 71 = □

두 모양의 규칙을 찾아 □ 안에 알맞은 수를 써넣으시오.

9 ♠ 9 = 13　　3 ♣ 5 = 1

12 ♠ 8 = 15　　9 ♣ 3 = 5

25 ♠ 5 = 25　　16 ♣ 6 = 9

(1) 5 ♠ 5 = □　　(2) 2 ♣ 9 = □

탐구 유형 1-1 **기호의 약속 찾기**

식이 성립하도록 □ 안에 알맞은 모양을 그리시오.

20 ▶ 5 = 10　　10 ◀ 5 = 15

9 ▶ 2 = 5　　6 ◀ 3 = 9

16 ▶ 4 = 8　　8 ◀ 12 = 4

(1) 7 □ 4 = 10　　(2) 14 □ 4 = 6

• Point 두 모양의 계산 방법을 먼저 알아낸 다음 식이 성립하도록 모양을 그려 넣습니다.

습

01 보기 의 규칙을 보고 □ 안에 알맞은 수를 써넣으시오.

보기

6 ◆ 3 = 10　　6 ◇ 3 = 7

8 ◆ 2 = 13　　8 ◇ 7 = 13

12 ◆ 7 = 12　　35 ◇ 21 = 54

(1) 7 ◇ 22 = □　　(2) 16 ◆ 8 = □

(3) 45 ◆ 12 = □　　(4) 4 ◇ 9 = □

연습 02 기호를 사용하여 수를 계산하였는데 하나의 식이 잘못 계산되었습니다. 잘못 계산된 식의 번호를 쓰시오.

① 6 ★ 3 = 2	② 7 ★ 19 = 11
③ 1 ★ 7 = 8	④ 5 ★ 8 = 2
⑤ 38 ★ 8 = 29	⑥ 45 ★ 23 = 21

연습 03 다음 규칙을 보고 □ 안에 알맞은 수를 써넣으시오.

3 $ 4 = 14	12 @ 6 = 9
1 $ 4 = 10	4 @ 8 = 6
6 $ 2 = 16	20 @ 20 = 20

(1) 15 $ 5 = □　　(2) 3 $ 8 = □

(3) 8 @ 4 = □　　(4) 1 @ 9 = □

2 모양과 수를 바꾸는 방망이

도깨비 방망이에 닿은 모양은 연기와 함께 모두 같은 규칙으로 바뀝니다.

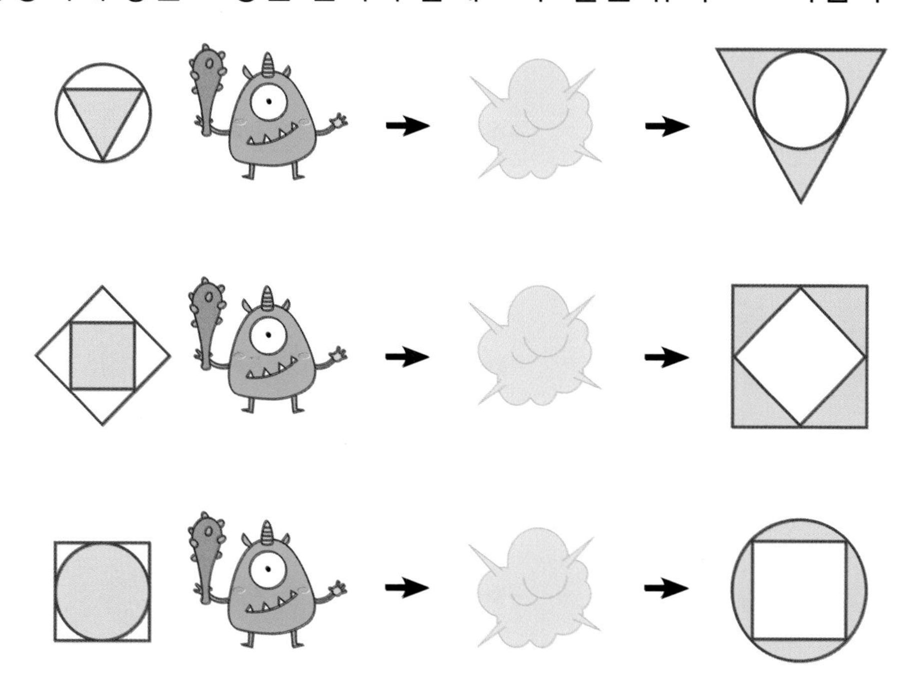

도깨비 방망이에 닿은 모양이 어떻게 바뀌었는지 설명해 보시오.

각각 겹쳐진 두 모양 중 바뀌지 않은 모양이 있어!!

도깨비 방망이에 닿은 모양을 그리시오.

(1)

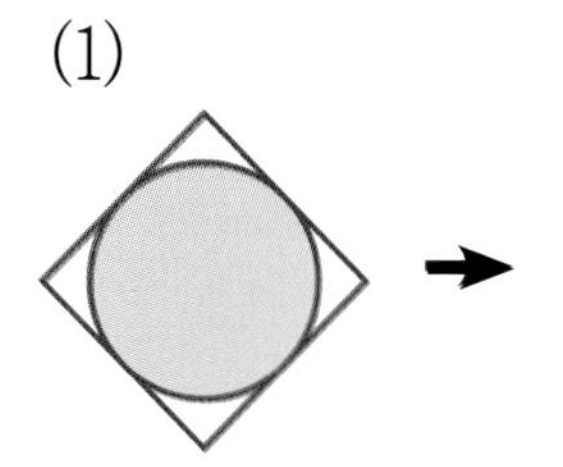

(2)

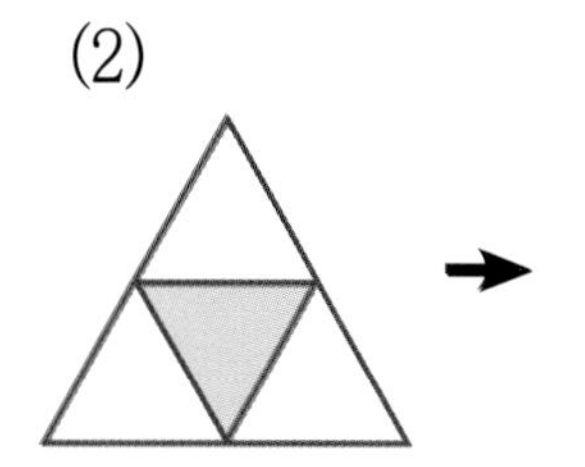

모양과 수를 바꾸는 방망이

두 수가 쓰여진 공이 도깨비 방망이에 닿으면 어떻게 바뀌는지 알아보려고 합니다.

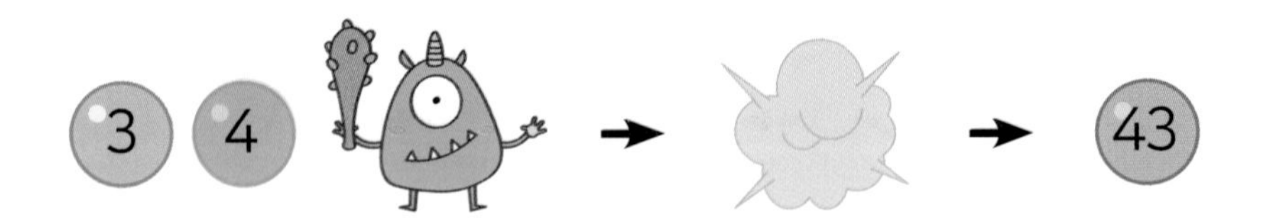

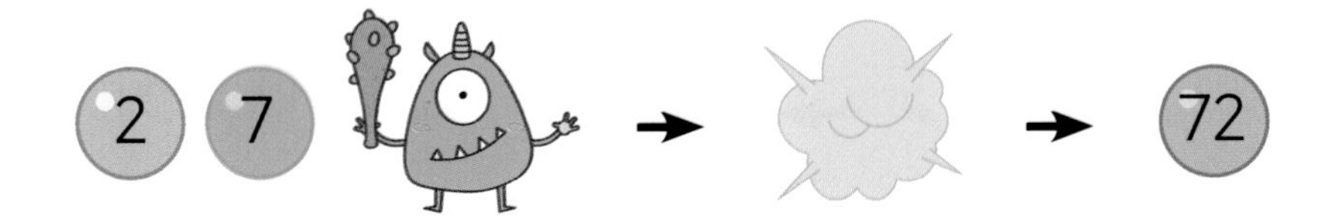

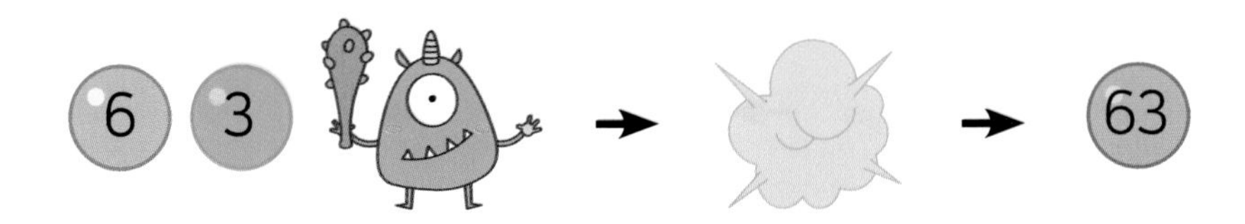

도깨비 방망이에 닿은 두 수가 어떻게 바뀌었는지 설명해 보시오.

두 수가 하나의 수로 바뀌었어.

두 수가 도깨비 방망이에 닿았습니다. ●에 알맞은 수를 써넣으시오.

(1)

(2)

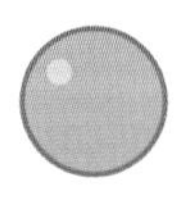

탐구 유형 2-1 수가 변하는 규칙

보기 의 규칙을 찾아 □ 안에 알맞은 수를 써넣으시오.

□ → → → 12

• Point 노란색 컵에 들어가기 전의 수를 먼저 구합니다.

(1) □ 안에 알맞은 수를 써넣으시오.

□ → → 12

(2) (1)에서 구한 수를 색칠된 칸에 넣고 □ 안에 알맞은 수를 써넣으시오.

□ → → □

01 왼쪽의 수가 변하는 규칙을 찾아 □ 안에 알맞은 수를 써넣으시오.

7 → → 15

12 → → 25

9 → → □

□ → → 21

연습 02 두 수가 상자 안에 들어갔다 나오면 하나의 수로 변합니다. 규칙을 찾아 ●에 알맞은 수를 써넣으시오.

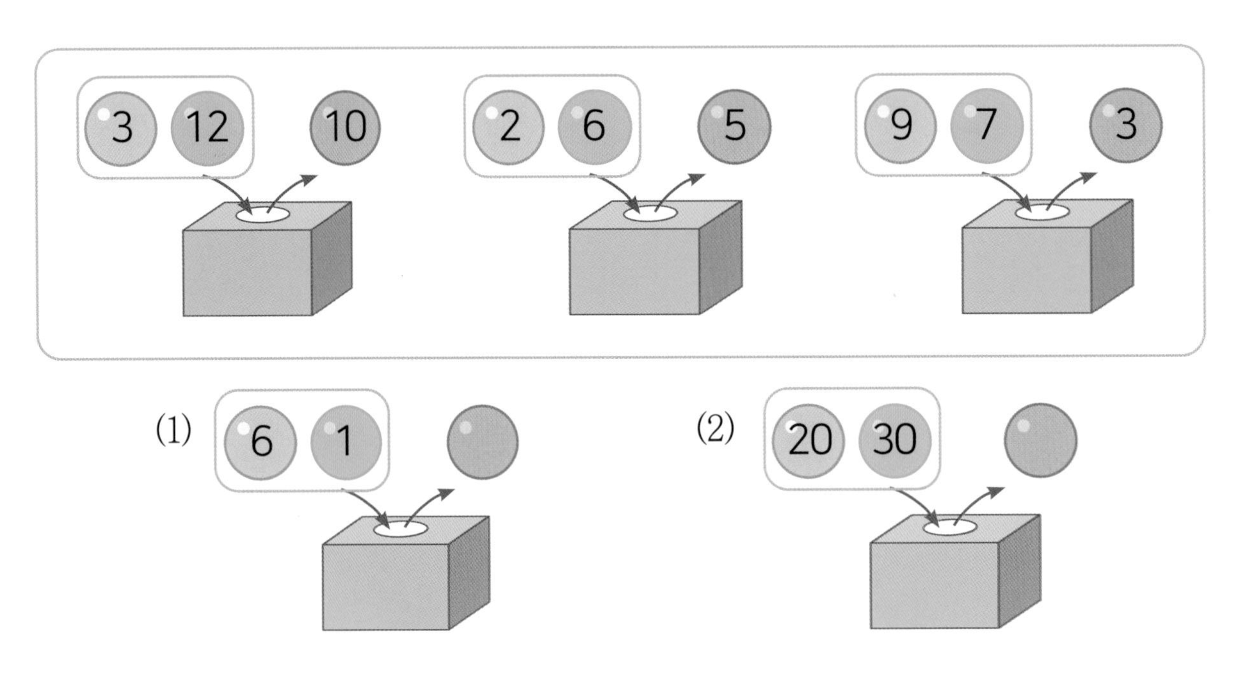

(1) 6, 1 → ●

(2) 20, 30 → ●

연습 03 보기 의 수가 변하는 규칙을 찾아 □ 안에 알맞은 수를 써넣으시오.

보기

5 → ● → 15　　8 → ● → 7

7 → ● → 17　　5 → ● → 4

□ → ● → ● → 13

탐구 유형 2-2 모양이 변하는 규칙

규칙에 맞게 빈 곳에 알맞은 모양을 그려 넣으시오.

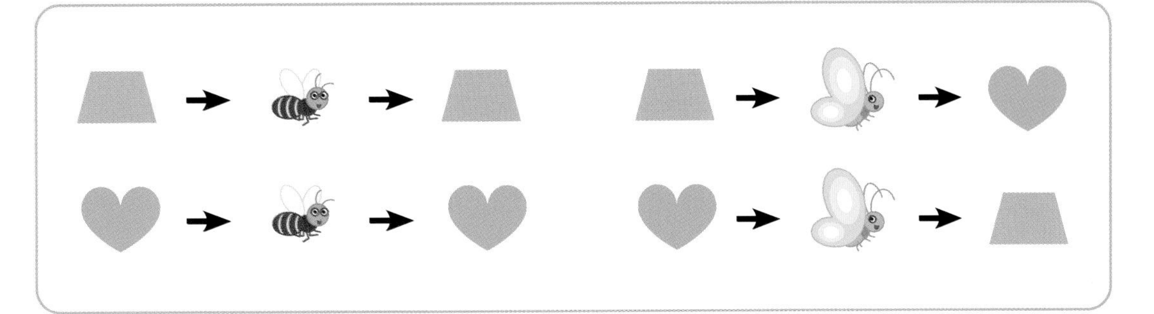

• Point 벌과 나비를 지나가면 모양이 어떻게 변하는지 알아낸 다음 순서대로 모양을 바꿔봅니다.

01 규칙에 맞게 □ 안에 알맞은 모양을 그리시오.

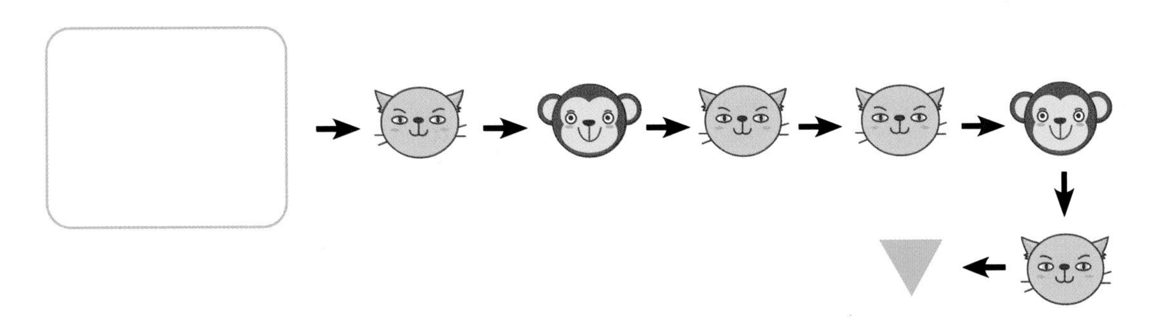

탐구주제

3 모양 안의 수들의 관계

모양 안의 수들의 관계를 찾아 빈 곳에 알맞은 수를 구하려고 합니다.

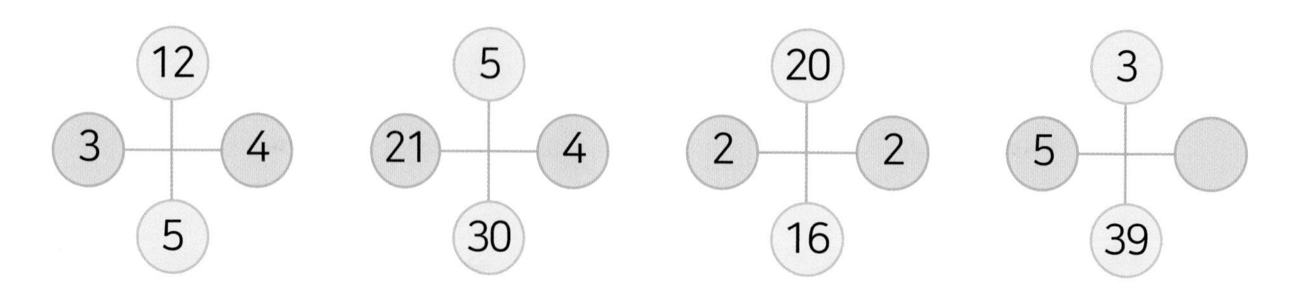

가로, 세로로 연결된 두 수를 짝지었을 때, 가로와 세로에 있는 수는 어떠한 관계가 있습니까?

짝지은 두 수의 합이나 차를 구해서 비교해 봐.

규칙대로 마지막 모양의 ◯ 안에 알맞은 수를 써넣으시오.

규칙이 모두 같도록 마지막 □ 안에 알맞은 수를 써넣으시오.

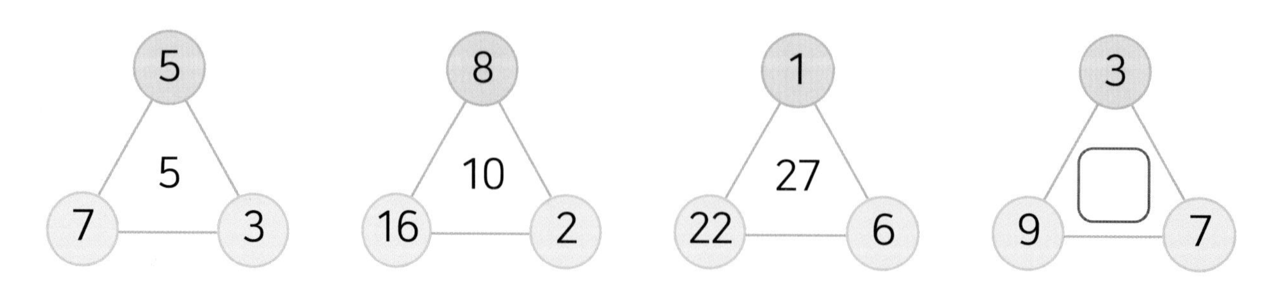

탐구 유형 3-1 겹쳐진 네모 안의 수

규칙을 찾아 마지막 겹쳐진 부분에 들어가는 수를 구하시오.

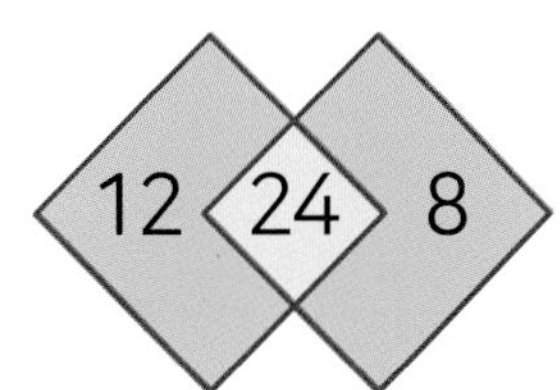

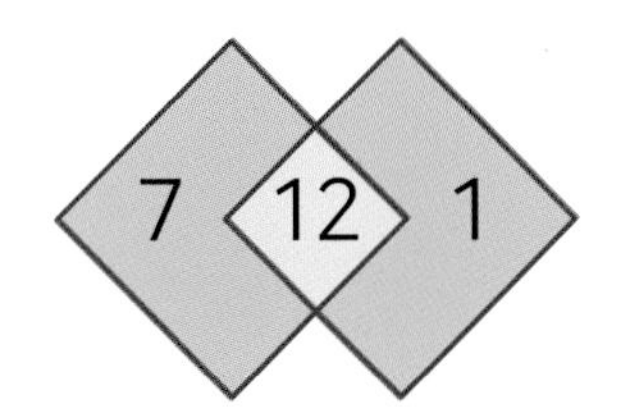

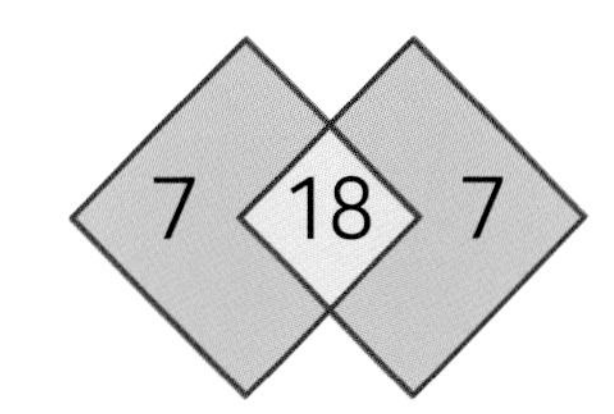

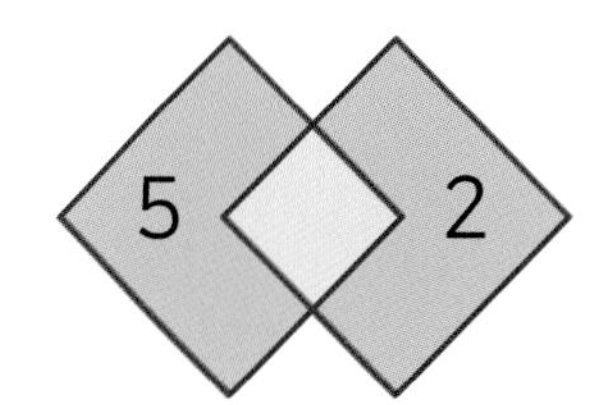

• Point 세 수의 공통된 규칙을 먼저 구합니다.

(1) 두 네모의 양쪽 끝에 있는 두 수의 합과 차를 구한 다음 가운데 수와 어떠한 관계가 있는지 알아보시오.

(2) 마지막 가운데에 들어가는 수를 구하시오.

습

01 규칙을 찾아 빈 곳에 알맞은 수를 써넣으시오.

(1)

10	9
9	8

11	12
4	5

4	9
1	6

8	
5	7

20	13
	6

(2)

3	10	7

6	11	5

7	16	9

14	25	11

5		12

6	19	

연습 02 다른 것과 규칙이 다른 모양 하나를 찾아 ○표 하시오.

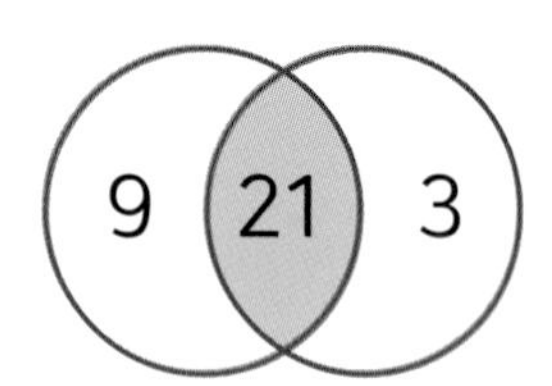

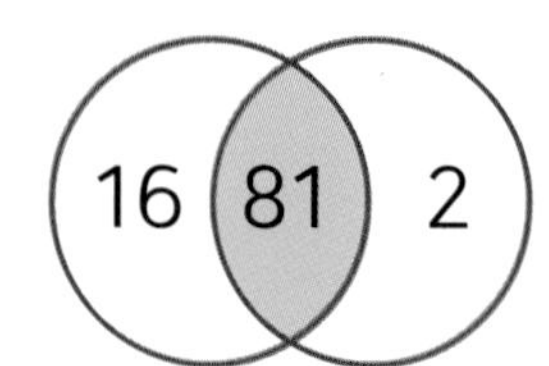

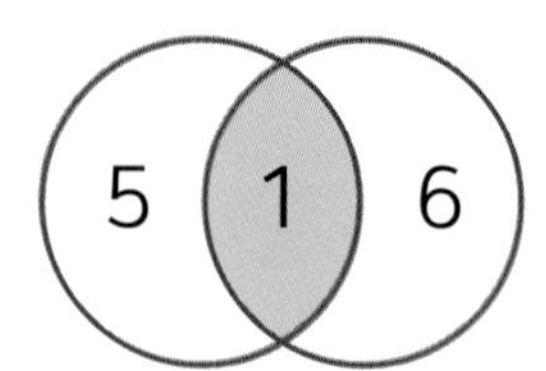

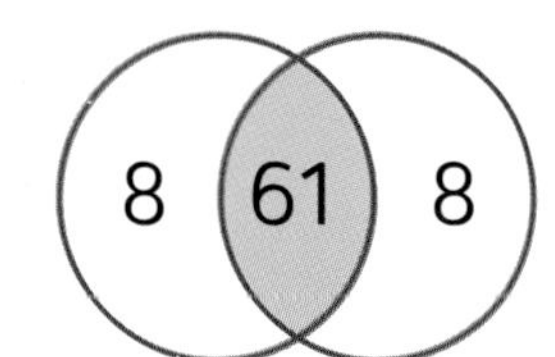

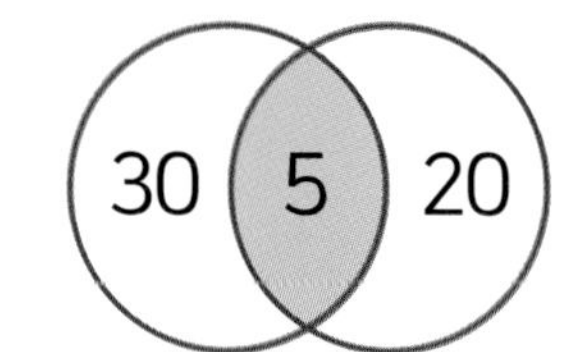

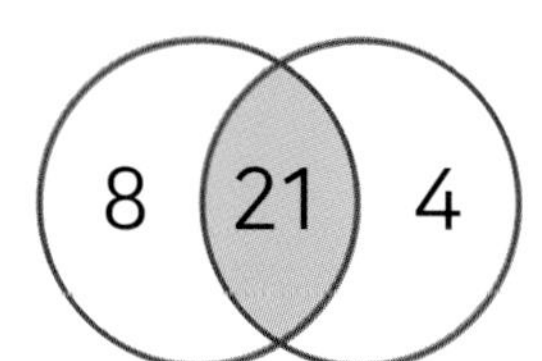

연습 03 규칙을 찾아 ◯ 안에 알맞은 수를 써넣으시오.

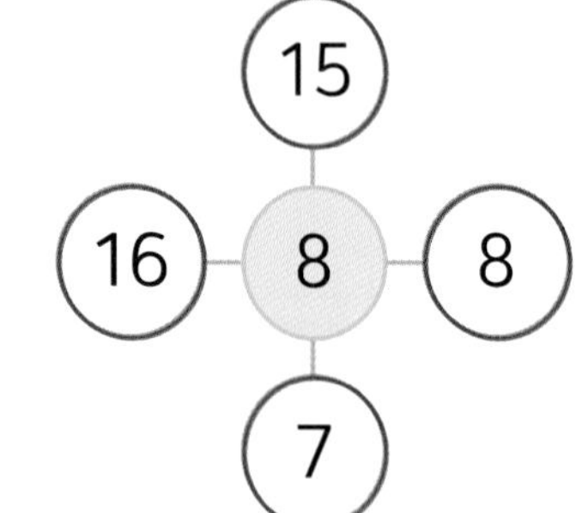

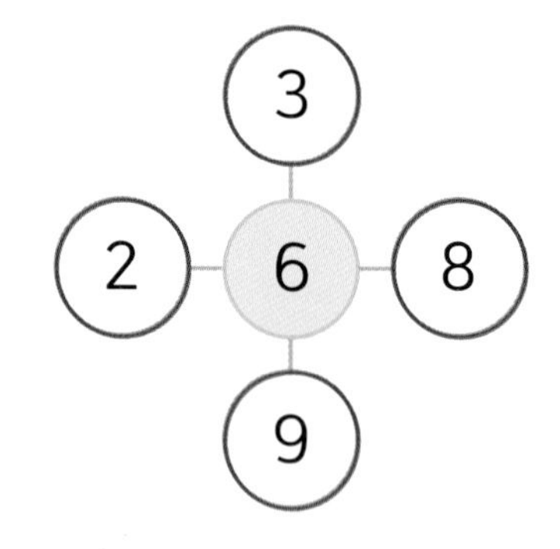

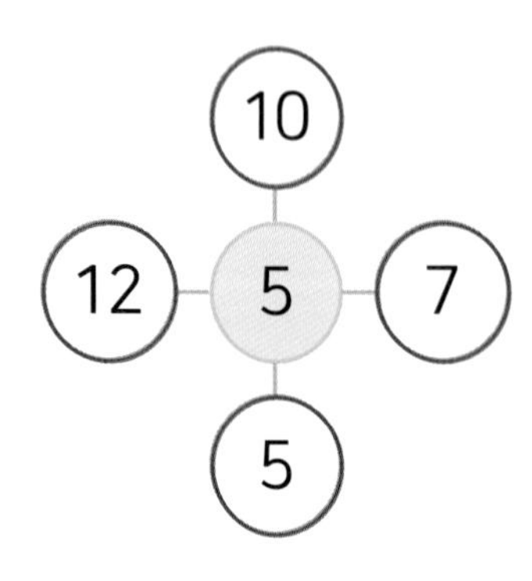

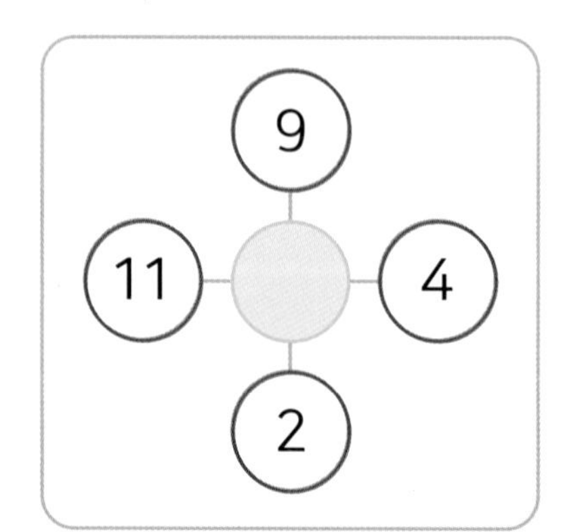

탐구 유형 3-2 모양 안의 수

보기 와 같은 규칙으로 오른쪽 모양의 빈 곳에 알맞은 수를 써넣으시오.

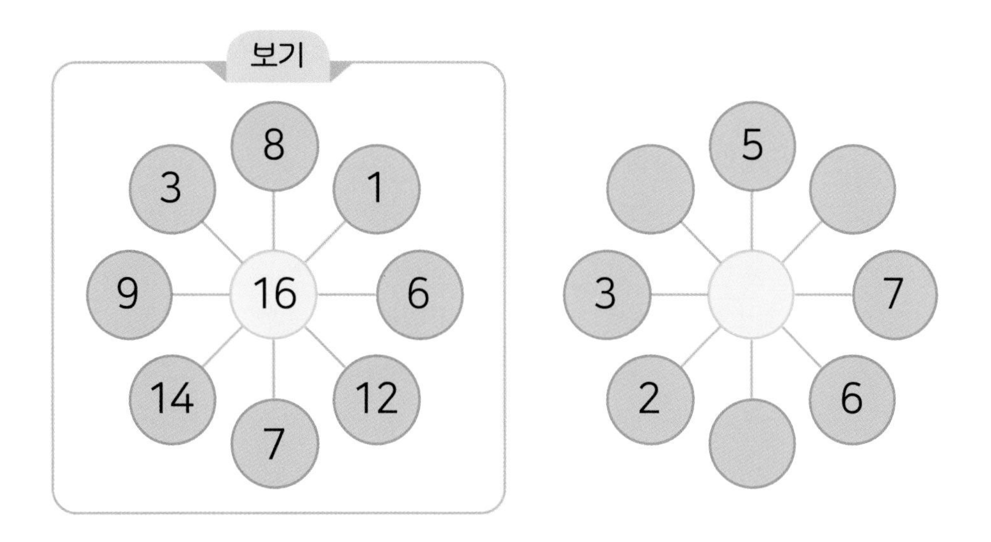

• Point 마주 보는 두 수를 짝지었을 때 어떤 규칙이 있는지 살펴봅니다.

(1) 보기 에서 마주 보는 두 수를 짝지으면 합이나 차에서 어떤 규칙이 있는지 찾아 보고 같은 규칙으로 오른쪽의 ◯ 안에 알맞은 수를 써넣으시오.

(2) 가운데 수는 짝지은 두 수와 어떠한 규칙이 있는지 찾아서 ◯ 안에 알맞은 수를 써넣으시오.

습

01 모양에 쓰인 수의 규칙을 찾아 오른쪽 색칠한 부분에 알맞은 수를 써넣으시오.

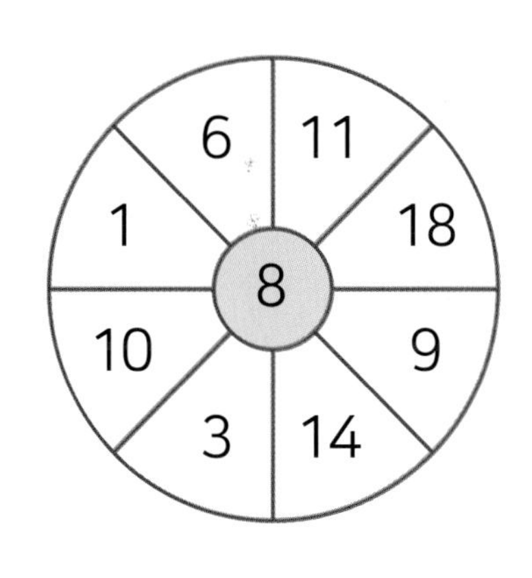

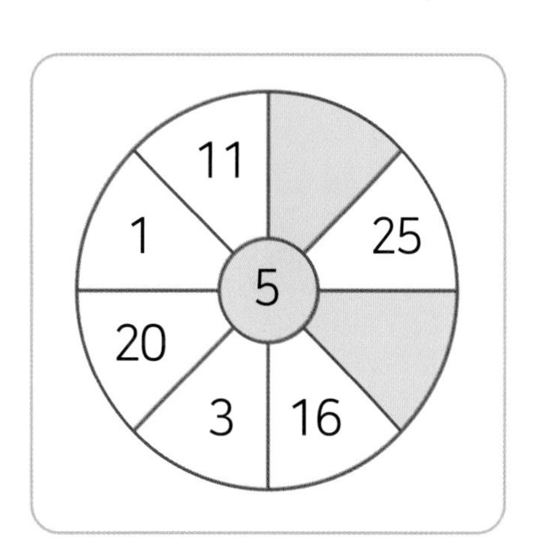

TOP 사고력

▲의 규칙을 찾아 ● 가 나타내는 수를 먼저 계산합니다.

01 보기 의 규칙을 보고 □ 안에 알맞은 수를 써넣으시오.

5▲ △ 11▲ = □

상자 안에 들어가는 두 수의 크기를 비교해 봅니다.

02 두 상자의 규칙을 찾아 ○ 안에 알맞은 수를 써넣으시오.

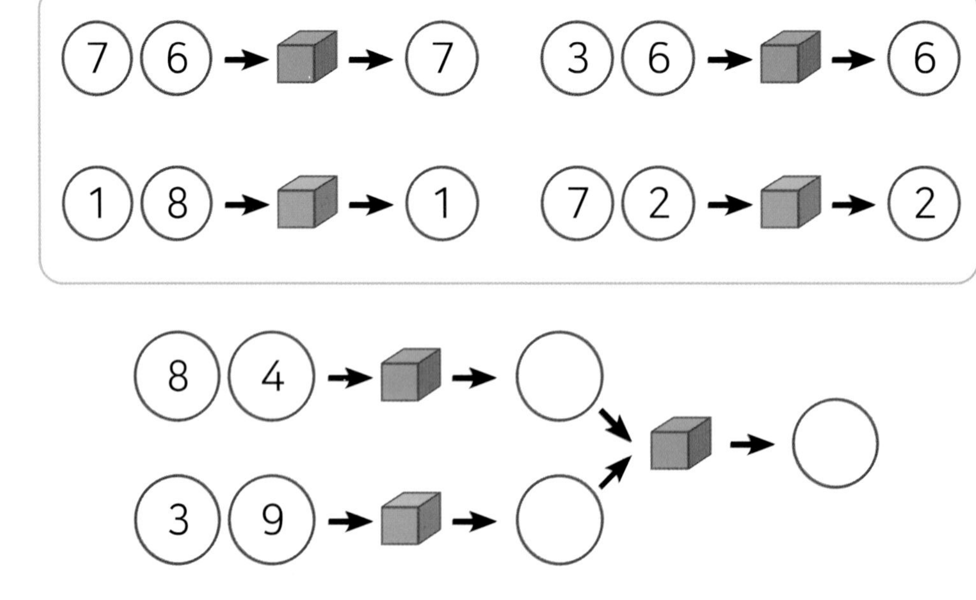

접는 선

03 규칙을 찾아 □ 안에 알맞은 수를 써넣으시오.

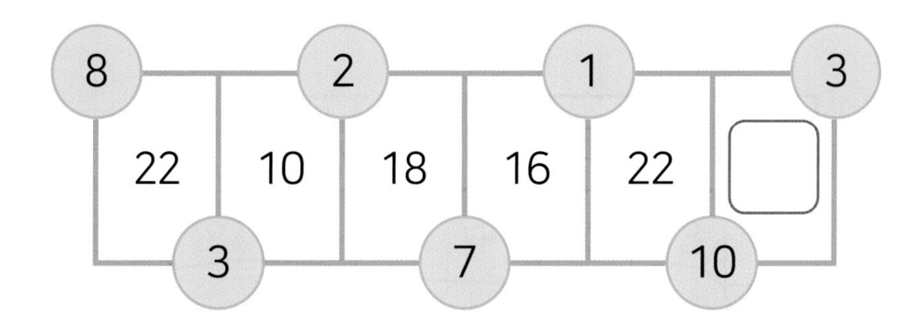

가운데 있는 수와 ● 안에 있는 수의 규칙을 찾아봅니다.

TOP of TOP

04 모양 안의 수의 규칙을 찾아 □ 안에 알맞은 수를 써넣으시오.

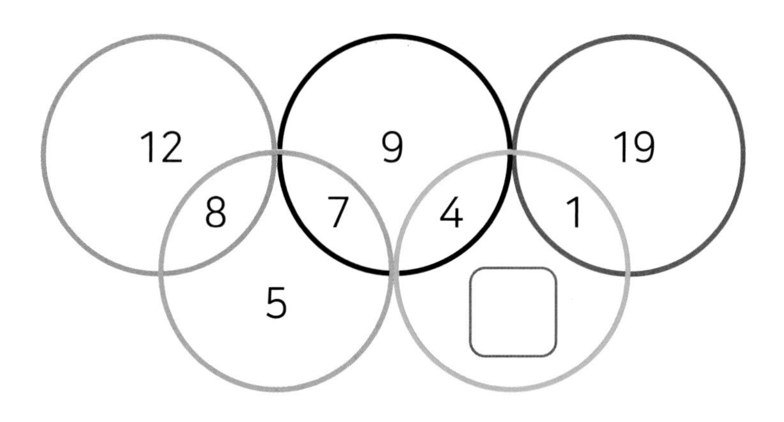

하나의 동그라미 안에 들어가는 수들의 합을 구해 봅니다.

접는 선

TOP 사고력 수학

3. 논리적 추론

동물들의 체육대회

동물들이 모여 달리기를 했습니다. 각자의 이야기로 동물들이 들어온 순서를 알아 보려고 합니다.

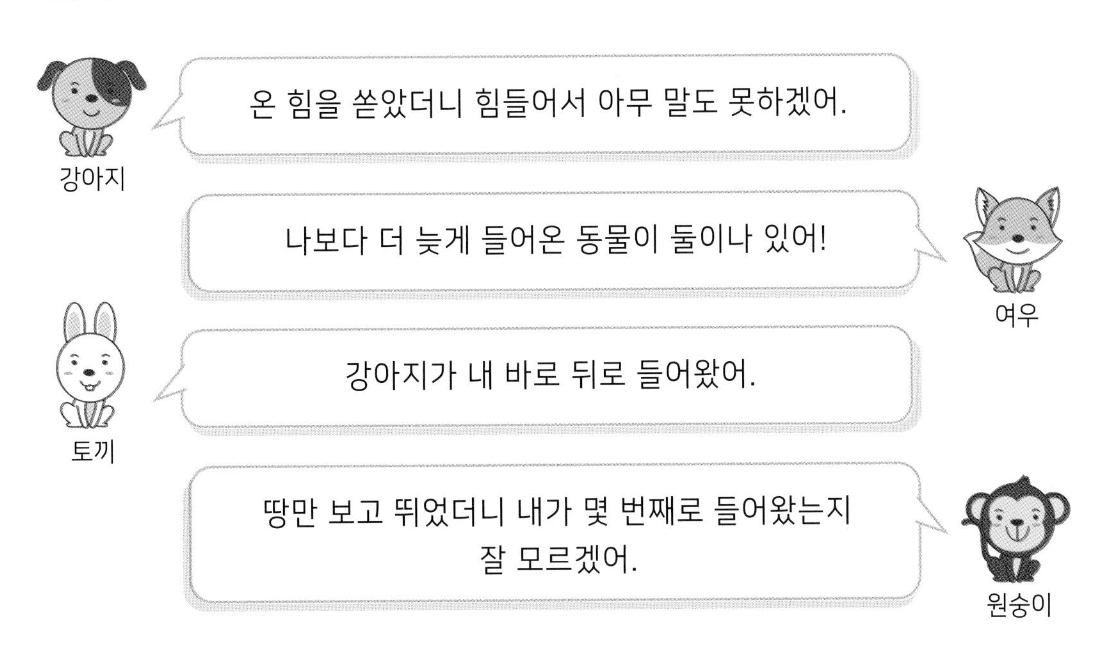

여우의 이야기에서 여우가 들어온 순서의 자리에 "여우" 라고 써넣으시오.

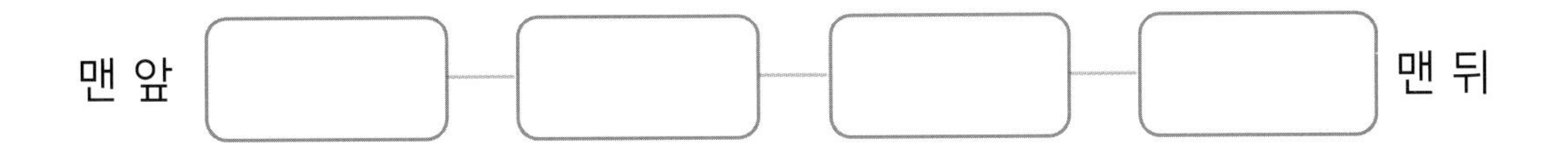

토끼의 이야기에서 강아지가 들어온 자리에 ○표 하시오.

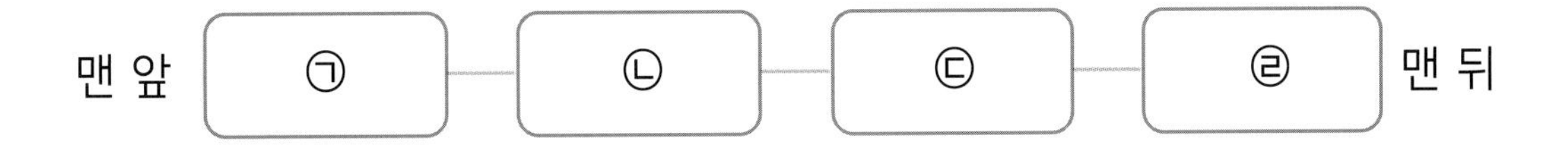

동물들이 들어온 순서대로 이름을 모두 써넣으시오.

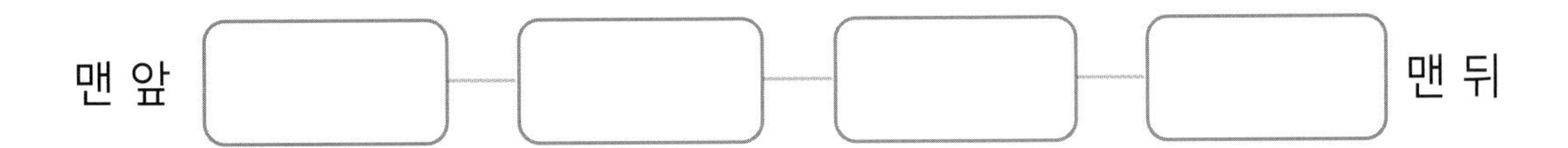

주어진 정보를 가지고 논리적으로 생각해야 하는 경우가 많이 생겨. 대표적인 문제가 순서나 자리를 알아내는 문제야.

강아지와 원숭이의 말에서는 순서에 관한 정보를 얻을 수 없어. 반대로 여우와 토끼의 말에서는 아래와 같은 정보를 얻을 수 있지.

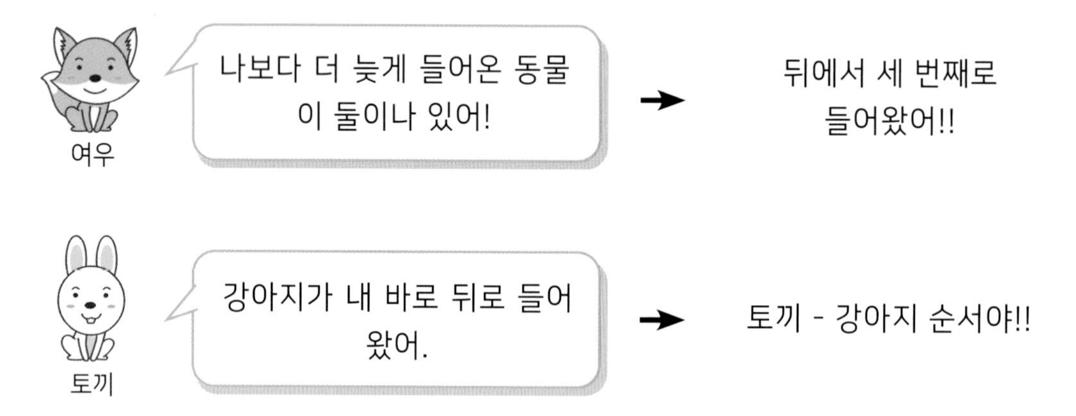

여우와 토끼의 말에서 중요한 정보를 얻어내는 것처럼 주어진 정보를 가지고 다양하게 생각해 보는 과정을 논리적 추론이라고 해.

깜이, 냥이, 주영, 송연이가 옆으로 나란히 서 있습니다. 서 있는 순서대로 이름을 쓰시오.

- 송연이는 냥이와 주영이 사이에 서 있습니다.
- 주영이는 뒤에 있는 깜이와 산책을 하려고 합니다.
- 제일 왼쪽에 냥이가 서 있습니다.

깜이, 냥이, 주영, 송연이가 같은 건물의 1, 2, 3, 4층에 한 명씩 있습니다. 위 층에 있는 사람의 순서대로 이름을 쓰시오.

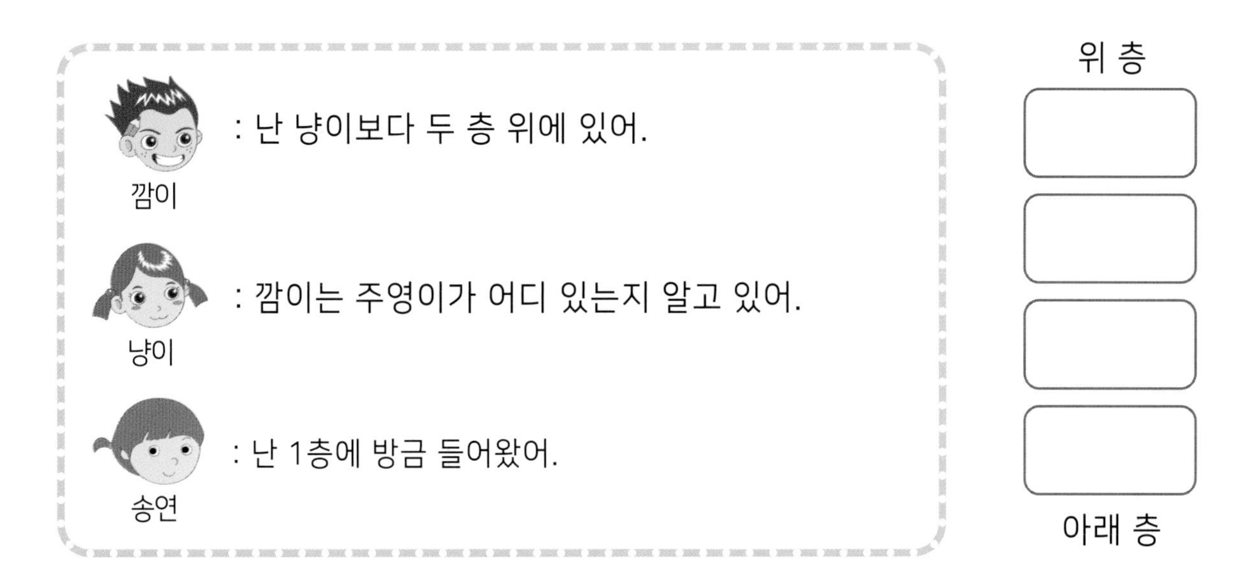

사자, 원숭이, 펭귄, 돼지가 서로 만나기로 했어요. 왼쪽부터 네 동물이 먼저 온 순서대로 번호를 쓰시오.

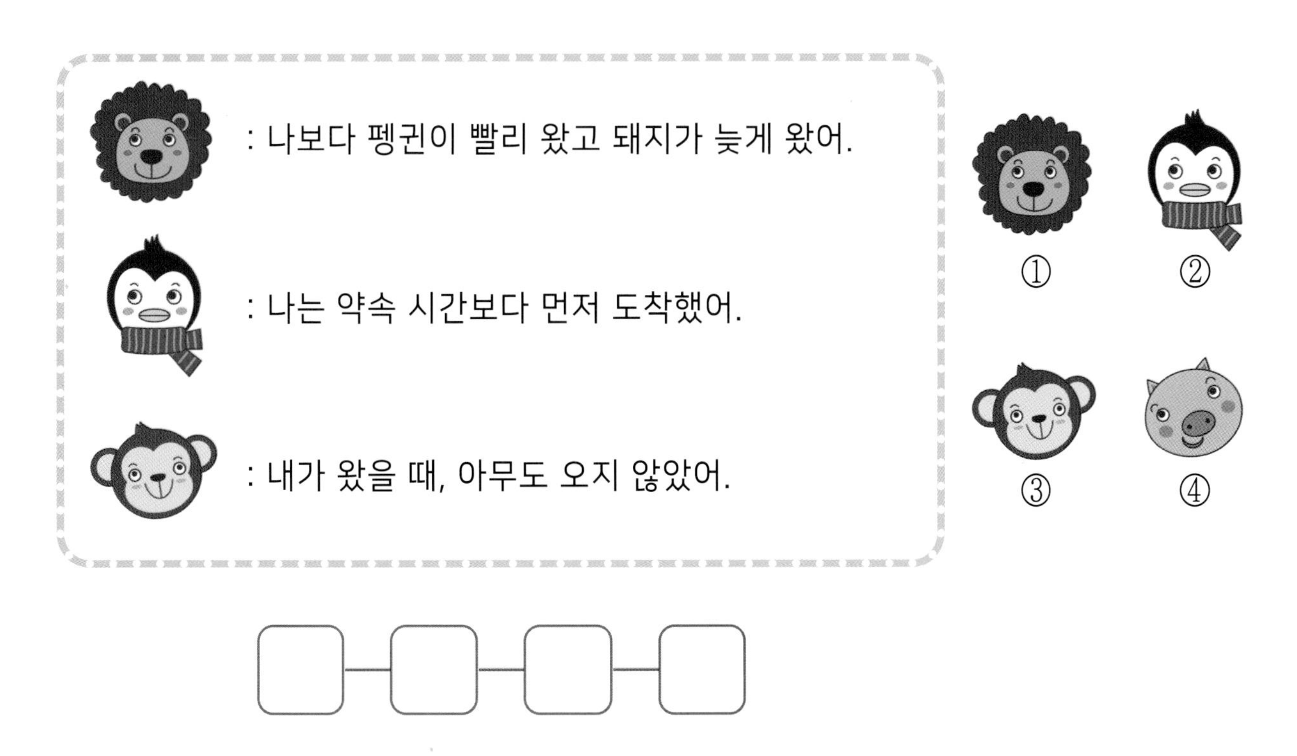

수 맞추기 게임

깜이와 냥이가 다음과 같은 순서에 따라서 수 맞추기 게임을 하고 있습니다.

수 맞추기 게임

① 깜이가 십의 자리와 일의 자리가 다른 두 자리 수를 하나 생각합니다.

② 냥이가 두 자리 수를 물어보면 다음과 같이 말합니다.

- 자신이 생각한 수 중에 똑같은 숫자가 하나 있고 십의 자리나 일의 자리의 위치까지 같은 경우 - "하나 정확해"
- 자신이 생각한 수 중에서 똑같은 숫자가 있으나 십의 자리나 일의 자리의 위치가 다른 경우 - "하나 있어" 또는 "둘 있어"
- 자신이 생각한 수 중에서 똑같은 숫자가 없는 경우 - "없어"

예) 깜이가 생각한 두 자리 수가 27일때,
냥이가 말한 수 : 26 → "하나 정확해"
냥이가 말한 수 : 87 → "하나 정확해"
냥이가 말한 수 : 74 → "하나 있어"
냥이가 말한 수 : 52 → "하나 있어"
냥이가 말한 수 : 72 → "둘 있어"
냥이가 말한 수 : 35 → "없어"

③ 냥이는 두 자리 수를 모두 맞추지 못한 경우 다른 두 자리 수를 이야기합니다.

냥이가 19를 말했는데 깜이가 "둘 있어" 라고 대답했습니다. 깜이가 생각한 수는 무엇입니까?

깜이와 냥이의 대화에서 알맞은 말에 ○표 하고 □ 안에 알맞은 수를 써넣으시오.

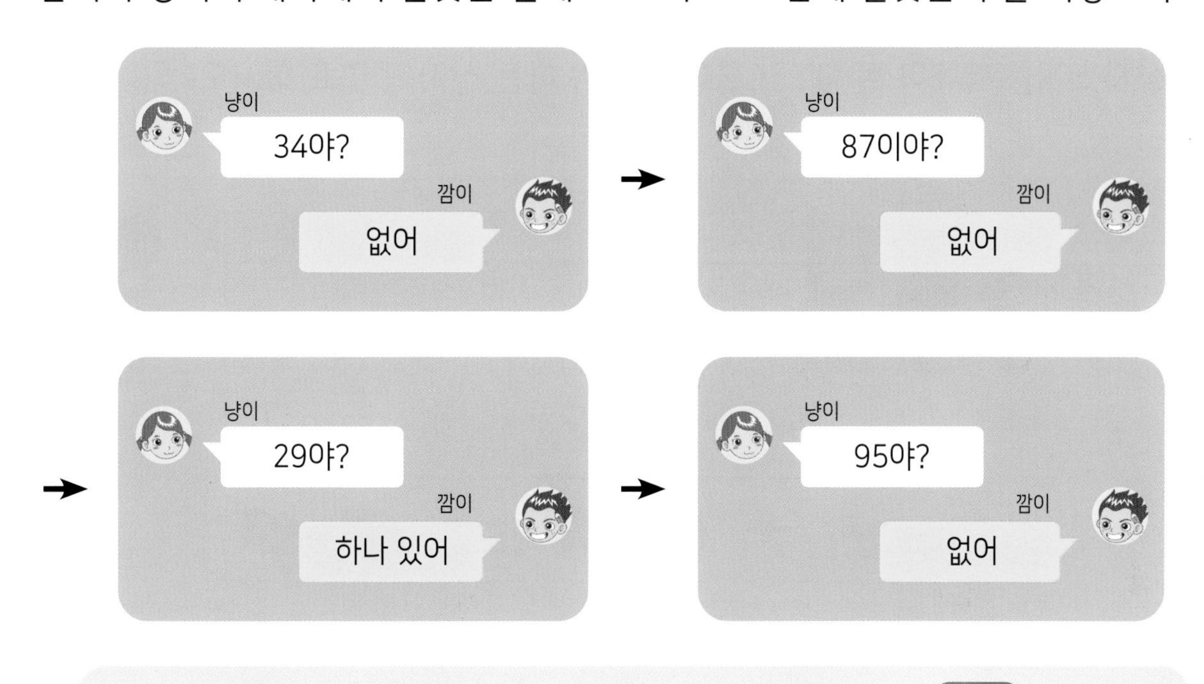

깜이가 생각한 두 자리 수에서 (십 일)의 자리의 숫자는 □ 입니다.

없다고 한 수는 지워가면서 생각해봐.

이어진 질문과 답변입니다. 깜이가 생각한 두 자리 수는 무엇입니까?

탐구주제 1 수 맞추기 게임

탐구 유형 1-1 상자 빼기

상자가 4줄로 쌓여 있는데 각 줄의 맨 위부터 순서대로 상자를 빼려고 합니다. 아래의 상자 5개를 빼내야 할 때, 각 줄에서 빼야 하는 상자에 ○표 하시오.

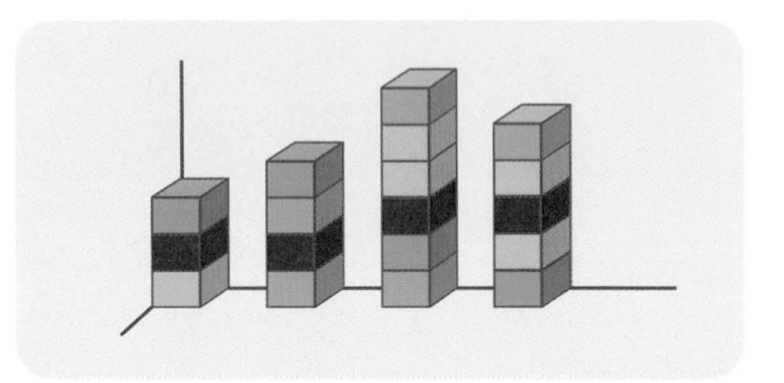

줄의 중간에서는 상자를 뺄 수 없어!

빼야 하는 상자 ➔ 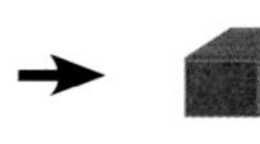  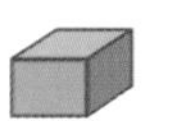 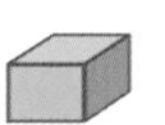 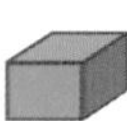

• Point 반드시 위에 있는 상자를 빼야 뺄 수 있는 색이 있는지 찾아봅니다.

(1) 반드시 위에 있는 상자를 빼야 뺄 수 있는 두 상자는 각각 어떤 색깔입니까?

(2) 각 줄에서 빼야 하는 상자 5개에 ○표 하시오.

연습 01 구슬이 매달린 줄을 두 번 잘라 구슬 4개가 떨어지도록 할 때, 잘라야 하는 두 부분에 ×표 하시오.

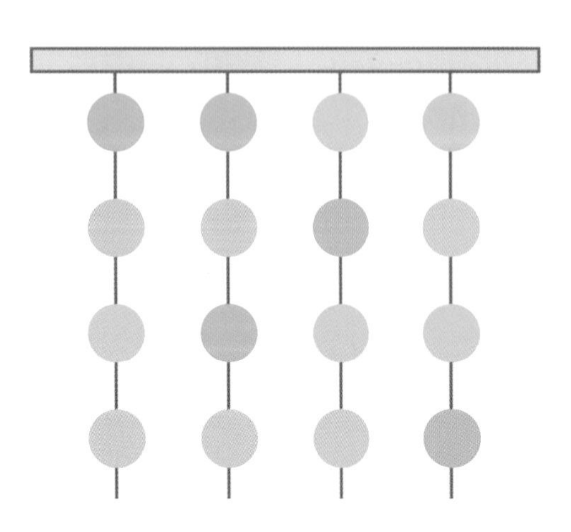

떨어트려야 하는 구슬

02 안이 보이는 음료수 자판기 두 대에서 아래 숫자를 누른 개수만큼 음료수가 순서대로 나옵니다. 마실 음료수 5개를 빼기 위해서 각 자판기에서 눌러야 하는 숫자를 색칠하시오.

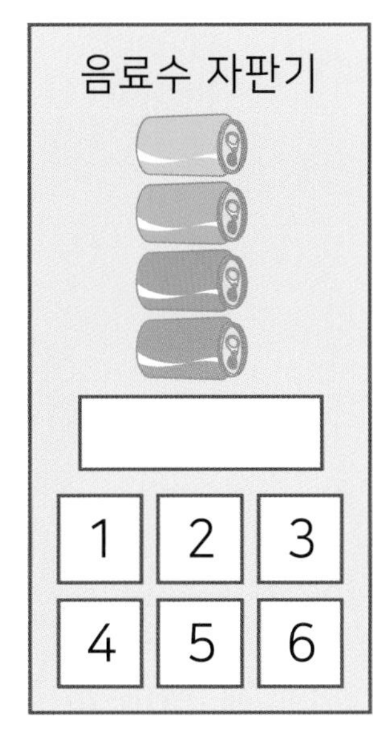

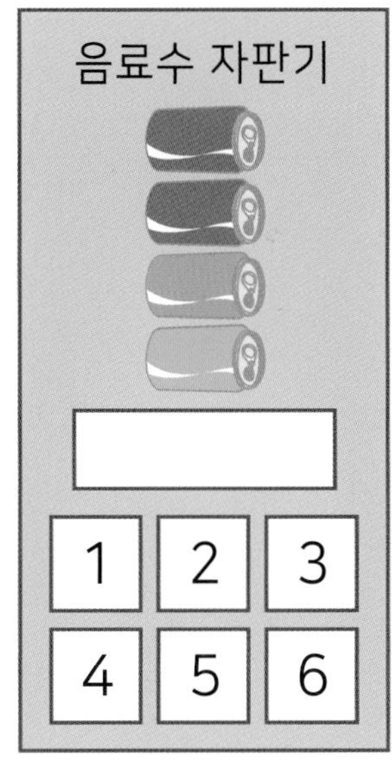

03 꼬치 3개에서 위에서부터 재료를 딱 맞게 빼서 오른쪽의 새로운 꼬치를 만들려고 합니다. 꼬치 3개에서 빼야 하는 재료를 ○로 묶어서 나타내시오.

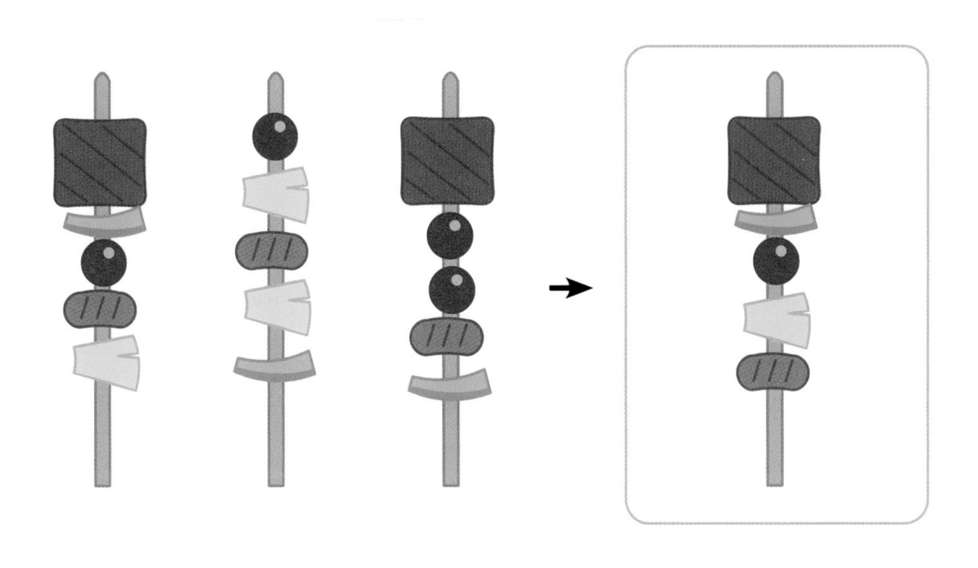

1 수 맞추기 게임

탐구 유형 1-2 글자가 놓인 순서

옆으로 붙어 있는 6칸에 한 글자씩 쓴 다음 그 일부를 나타낸 것입니다. 아래에 전체 글자를 완성하시오.

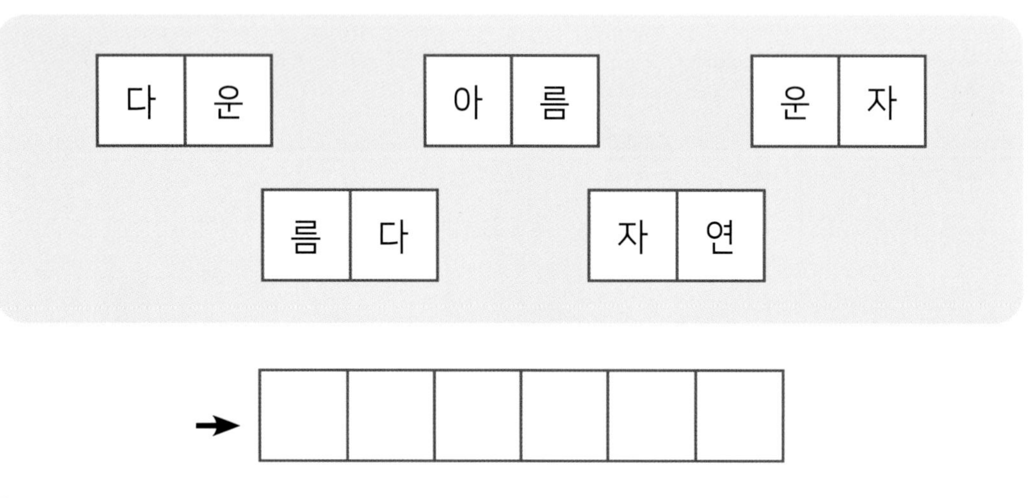

➔ | | | | | |

• Point 겹치지 않고 한 번만 나온 글자가 가장 왼쪽과 오른쪽에 쓰인 글자입니다.

(1) 한 번만 나온 글자는 가장 왼쪽과 오른쪽에 놓이는 글자입니다. □ 안에 알맞은 글자를 써넣으시오.

가장 왼쪽에 놓이는 글자 : □

가장 오른쪽에 놓이는 글자 : □

(2) 칸에 전체의 글자를 완성하시오.

연습 01 표에 모양을 그린 다음 그 일부를 나타낸 것입니다. 색칠된 빈 곳에 들어가는 모양에 ○표 하시오.

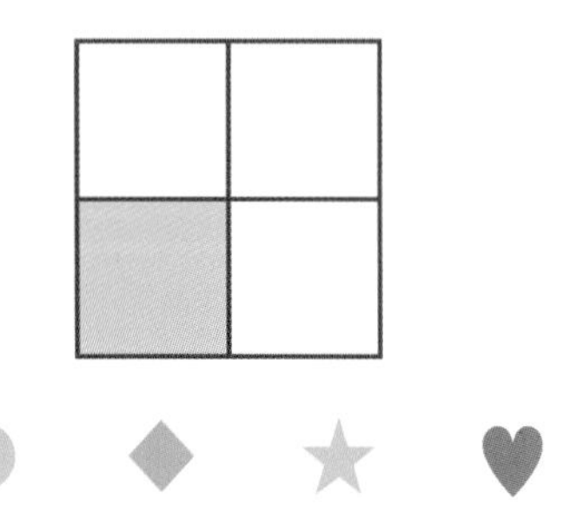

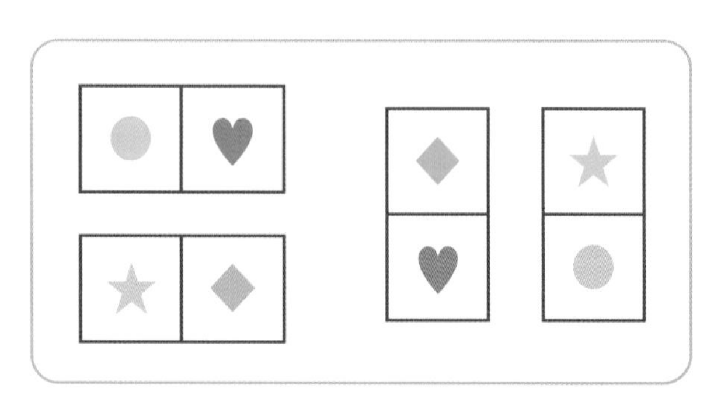

습

02 동물들이 일렬로 서 있는 일부를 나타낸 것입니다. 빈 곳에 알맞은 동물의 기호를 쓰시오.

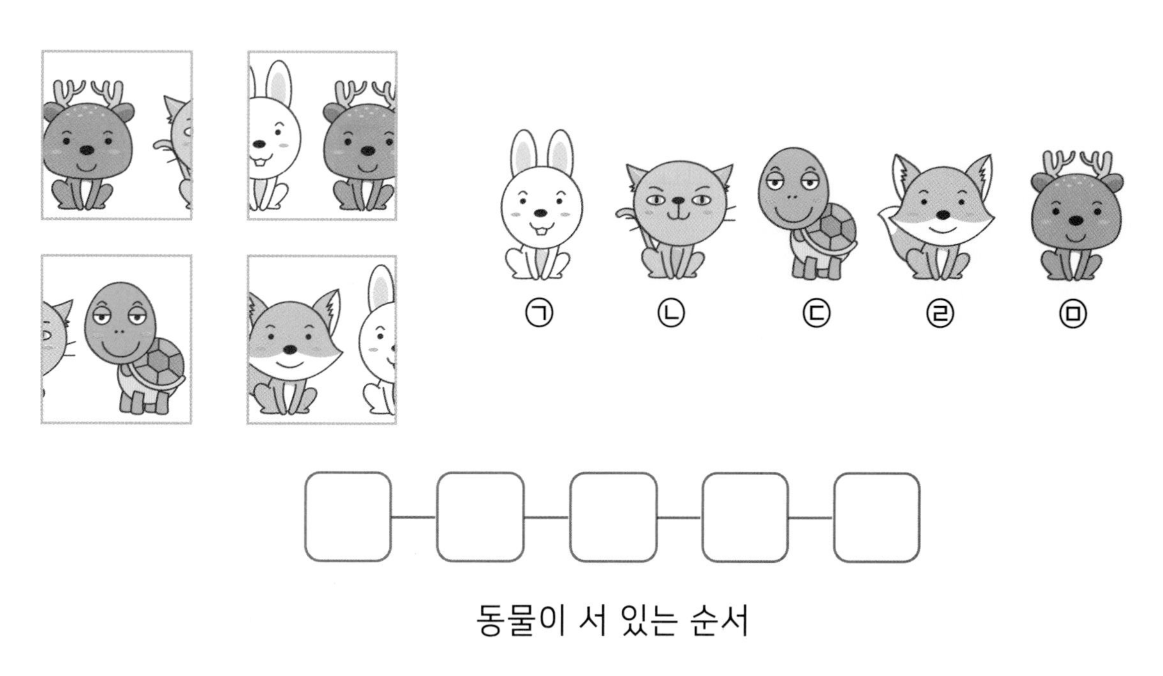

동물이 서 있는 순서

습

03 다음 모양의 일부분이 되는 모양의 기호를 모두 쓰시오.

가 :

나 :

다 :

라 :

마 :

바 :

2 연역표와 논리적 추론

예비 활동 가이드 1쪽

거짓말을 하면 피노키오의 코가 길어집니다. 깜이, 냥이, 소영이가 각각 빨간색, 파란색, 노란색 중 서로 다른 색을 좋아하는데 피노키오의 말을 보고 누가 어떤 색을 좋아하는지 알아보려고 합니다.

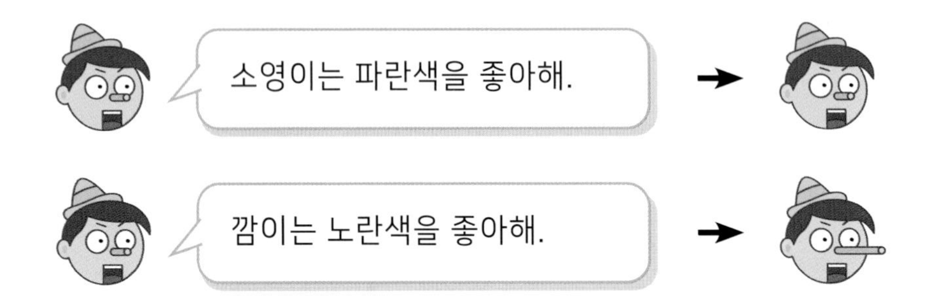

표를 그려서 각각 어떤 색을 좋아하는지 알아보려고 합니다. 소영이가 좋아하는 색이 있는 칸에 ○를 그려 넣으시오.

	빨간색	파란색	노란색
소영			
깜이			
냥이			

깜이는 노란색을 좋아한다는 말에 피노키오의 코가 길어졌습니다. 세 사람이 좋아하는 색이 서로 다르도록 깜이가 좋아하는 색이 있는 칸에 ○표 하시오.

세 사람이 좋아하는 색이 모두 다르도록 냥이가 좋아하는 색이 있는 칸에 ○표 하시오.

이러한 표를 연역표라고 해. 연역표를 그리면 한눈에 누가 어떤 색을 좋아하는지 알 수 있어.

깜이, 냥이, 송연이는 지난 주에 동화책, 위인전, 백과사전 중에 하나를 읽었습니다. 읽은 책의 종류가 모두 다를 때, 누가 어떤 책을 읽었는지 알아보려고 합니다.

깜이

주말에 집에 있던 백과사전을 친구에게 빌려줘서 백과사전은 다음주에 읽으려고 해.

냥이

송연이가 주말에 읽은 동화책 이야기를 해줬어.

송연

주말에 책도 읽고 부모님과 놀이공원도 다녀왔어.

깜이가 읽지 않은 책이 있는 칸에 ×표 하시오.

	동화책	위인전	백과사전
깜이			
냥이			
송연			

송연이가 읽은 책이 있는 칸에 ○표 하시오.

세 사람이 읽은 책이 모두 다르도록 읽은 책이 있는 칸에 모두 ○표 하시오.

2 연역표와 논리적 추론

탐구 유형 2-1 예, 아니요

깜이, 냥이, 주영이는 초록색, 파란색, 노란색 중 서로 다른 색을 좋아합니다. 아래 표를 보고 좋아하는 색을 선으로 이으시오.

	초록색을 좋아합니까?	파란색을 좋아하지 않습니까?
깜이	아니요	아니요
냥이	예	예
주영	아니요	예

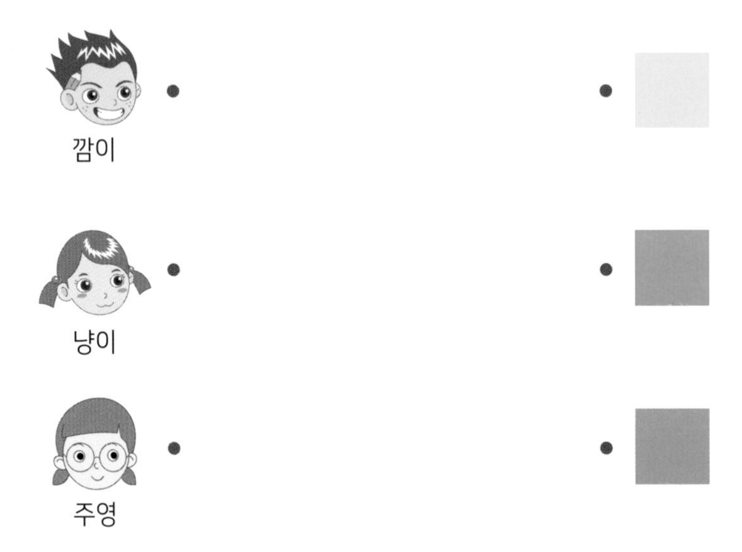

• Point ~이 아닙니까? 라고 물었을 때는 예가 아니요를, 아니요가 예를 뜻합니다.

(1) 초록색을 좋아하는 사람의 얼굴에 ○표, 파란색을 좋아하는 사람의 얼굴에 △표 하시오.

(2) 남은 한 사람은 노란색을 좋아합니다. 세 사람이 좋아하는 색을 선으로 이으시오.

01 깜이는 상자 안에 무엇이 들어 있는지 알고 있습니다. 세 번 질문한 결과를 보고 상자 안에 들어 있는 물건의 이름을 쓰시오.

질문1 : 상자에 책이 들어 있습니까?

질문2 : 상자에 들어 있는 것은 초콜릿이 아닙니까?

예.

질문3 : 상자에 들어 있는 것은 연필이 아닙니까?

02 깜이, 냥이, 주영이는 각각 학교, 공원, 문구점 중 한 군데에 있습니다. 냥이가 있는 곳을 찾아 ○표 하시오.

	학교에 없습니까?	문구점에 있습니까?
깜이	아니요	아니요
냥이	예	아니요
주영	예	예

학교

공원

문구점

2 연역표와 논리적 추론

탐구 유형 2-2 청소 당번 정하기

깜이, 냥이, 주영이가 오늘, 내일, 모레의 청소 당번을 정했습니다. 오늘 청소 당번인 사람의 이름을 쓰시오.

- 깜이는 모레 청소 당번인 친구와 친합니다.
- 주영이는 내일 청소 당번입니다.

• Point 연역표를 이용해서 해결하는데 모레 당번인 친구는 깜이와 친한 다른 친구입니다.

(1) 연역표에 깜이가 청소 당번이 아닌 날에 ×표 하시오.

(2) 주영이가 청소 당번인 날에 ○표 하고 나머지 사람들은 모두 ×표 하시오.

	오늘	내일	모레
깜이			
냥이			
주영			

(3) 오늘 청소 당번인 사람의 이름을 쓰시오.

연습

01 다음은 냥이의 성적을 나타낸 표입니다. 세 과목의 점수가 모두 다를 때, 냥이가 100점을 맞은 과목은 무엇입니까?

- 수학에서 실수해서 틀린 문제가 있습니다.
- 국어 점수가 가장 낮습니다.

	80점	90점	100점
국어			
수학			
과학			

연습 02 호랑이, 토끼, 돼지의 생일이 모두 다르고 1월, 4월, 9월에 있습니다. 호랑이가 태어난 달을 구하시오.

- 호랑이 생일은 1월이 아닙니다.
- 돼지의 생일은 짝수달 입니다.

	1월	4월	9월
(호랑이)			
(토끼)			
(돼지)			

연습 03 깜이, 냥이, 송연이의 혈액형은 A, B, O형 중 하나로 모두 다릅니다. 설명을 보고 연역표를 완성하고 송연이의 혈액형을 구하시오.

- 혈액형이 B형인 친구는 깜이를 좋아합니다.
- 냥이의 혈액형은 O형입니다.

	A형	B형	O형
깜이			
냥이			
송연			

독일 국기가 가장 왼쪽에 있습니다.

01 유럽 네 나라의 국기를 일렬로 붙여 놓고 찍은 사진입니다. 빈칸에 놓인 순서대로 국기의 기호를 쓰시오.

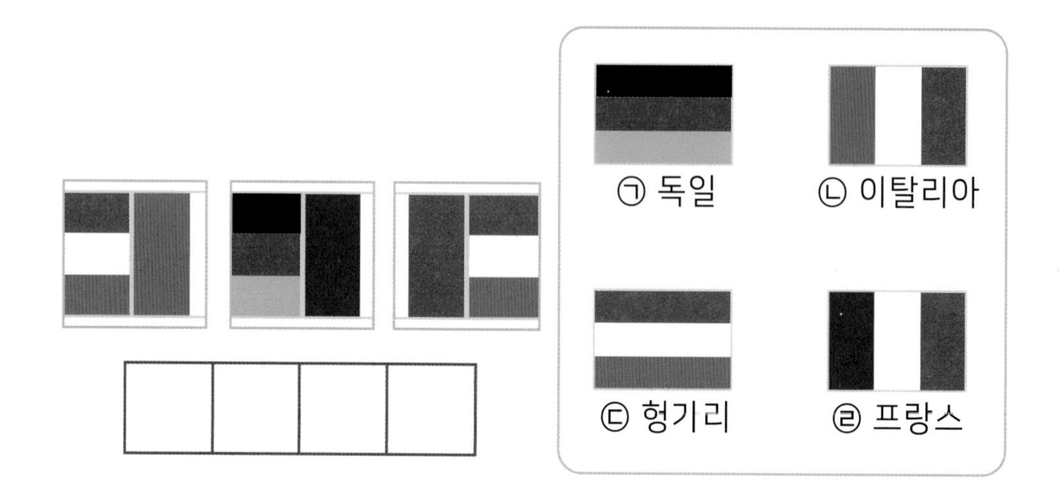

뺄셈 부호가 먼저 나오므로 식이 □-□+□로 되어야 합니다.

02 주어진 숫자와 연산기호 카드를 모두 사용하여 조건에 맞게 식을 만들고 계산한 값을 구하시오.

9　1　3　5　+　-

조건

- 두 자리 수가 있습니다.
- 숫자 1이 맨 앞에 있습니다.
- 뺄셈 부호가 먼저 나옵니다.
- 덧셈 부호 뒤에는 5가 있습니다.
- 계산한 결과는 한 자리 수입니다.

접는 선

03 선생님이 교실에 있던 사과를 먹은 학생을 찾기 위해 세 사람에게 질문을 하고 있습니다. 셋 중 교실에 있던 사과를 먹었을 것으로 생각되는 사람의 이름을 쓰시오.

> 교실에 있던 사과를 본 적이 있는 사람이 사과를 먹은 학생 중 한 명입니다.

교실에 있던 사과를 본 적 없어?

깜이 : 아니요
냥이 : 네
주영 : 아니요

오늘 사과를 먹지 않았지?

깜이 : 네
냥이 : 아니요
주영 : 아니요

TOP of TOP

04 네 사람이 좋아하는 계절이 모두 다릅니다. 송연이가 좋아하는 계절을 쓰시오.

> 연역표에 O와 X표를 그려 가면서 해결해 봅니다.

- 깜이는 더운 여름을 싫어합니다.
- 봄과 여름을 좋아하는 친구는 모두 냥이와 친합니다.
- 주영이는 가을을 좋아합니다.

	봄	여름	가을	겨울
깜이				
냥이				
송연				
주영				

접는 선

TOP 사고력 수학

4. 논리 판단 퍼즐

생각열기

주차장 빠져나가기

빨간색 차가 주차장 출구로 나가려면 다른 차를 어떻게 움직여야 하는지 생각해 보려고 합니다.

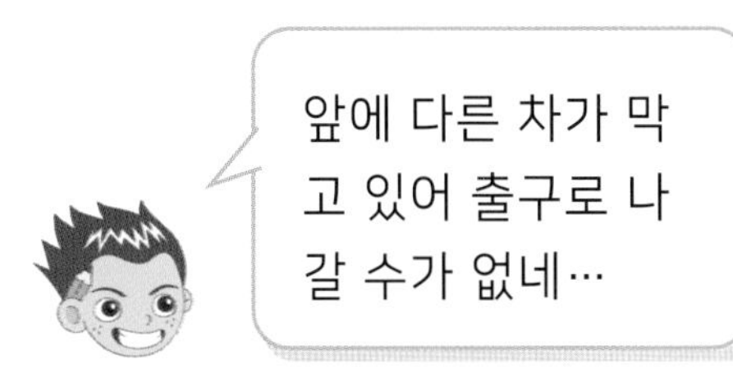

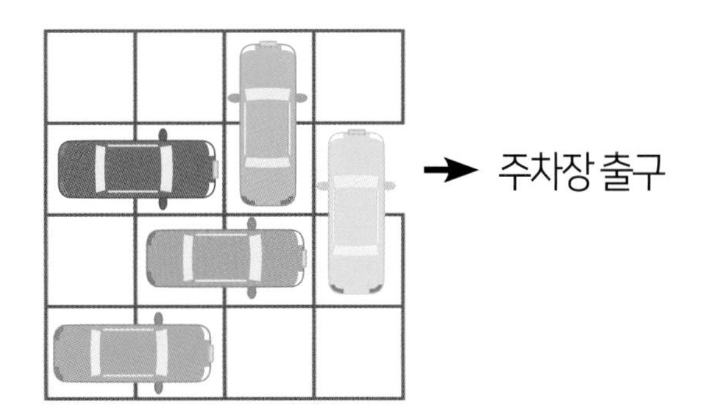

나가는 방법을 순서대로 나타낸 것입니다. □ 안에 알맞은 화살표의 방향(↑↓→←)을 써넣으시오. 단, 차는 전진과 후진만 할 수 있습니다.

① 노란색 차가 [↓] 방향으로 움직입니다.

② 파란색 차가 [ ] 방향으로 움직입니다.

③ 초록색 차가 [ ] 방향으로 움직입니다.

④ 빨간색 차가 직진하여 출구로 빠져나갑니다.

파란색 차가 출구로 나가려고 합니다. 다른 차량이 움직여야 하는 순서대로 차의 번호를 쓰시오.

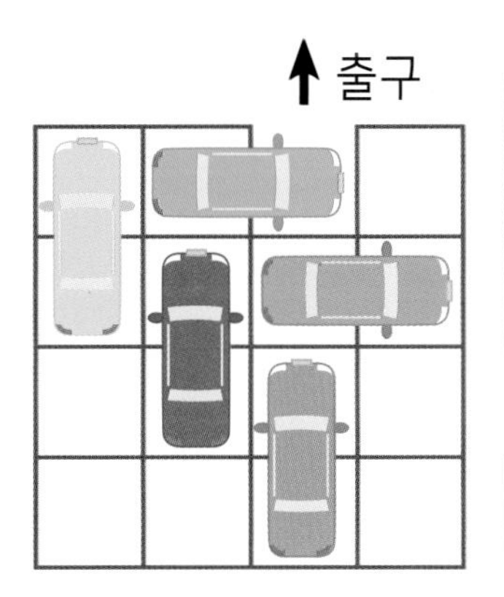

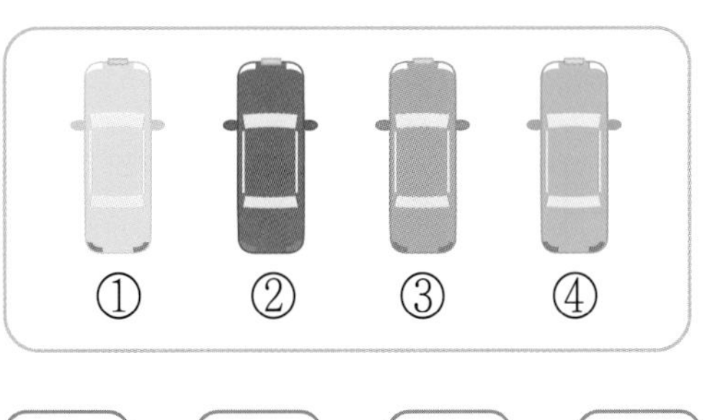

[ ] — [④] — [ ] — [ ]

4번 차가 두 번째로 움직이려면 1번 차를 먼저 움직이고 나머지는 2번과 3번 차의 순서대로 움직이면 돼.

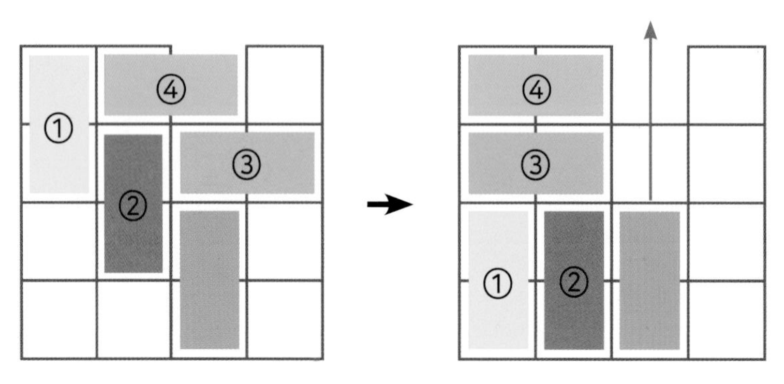

조건이 없다면 다른 방법으로도 해결방법을 찾을 수 있어. 하지만 4번 차가 두 번째로 움직이는 과정에서 어떻게 순서를 정해야 할지 논리적으로 판단을 해야 해.

빨간색 모양이 나가기 위해 모양이 움직이는 순서를 번호로 쓰시오. 단, 모든 모양은 화살표의 두 방향으로만 움직이고 회색 모양은 움직이지 않습니다.

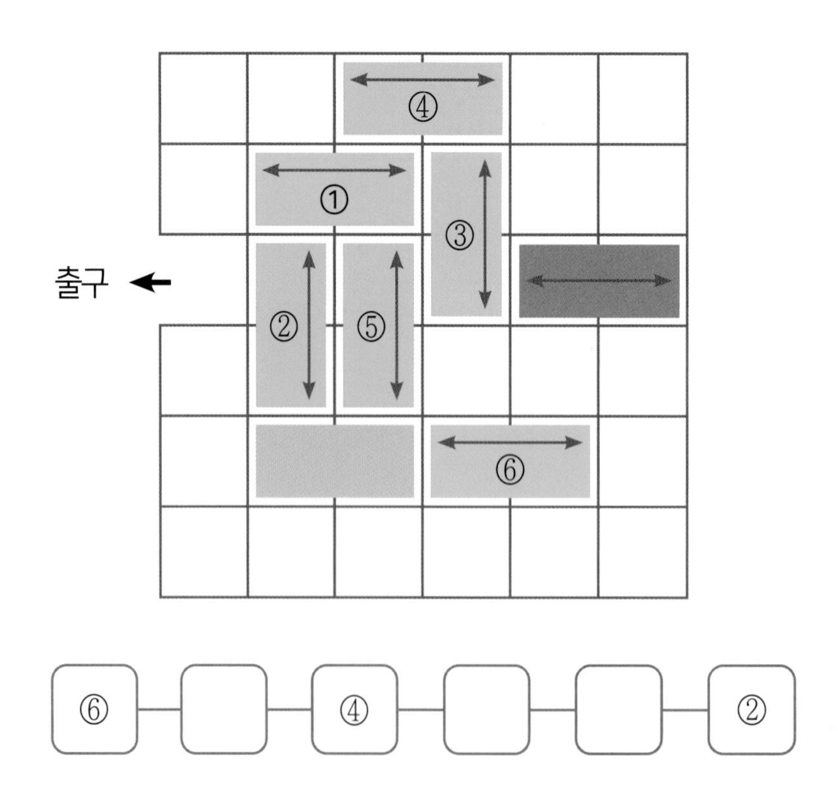

⑥ — ☐ — ④ — ☐ — ☐ — ②

1 전체와 일부분의 모양

예비 활동 가이드 3쪽

과일을 오른쪽 표에 하나씩 넣으려고 합니다. 완성하려는 표의 일부분의 모양을 보고 표에 알맞은 과일의 번호를 써넣으시오.

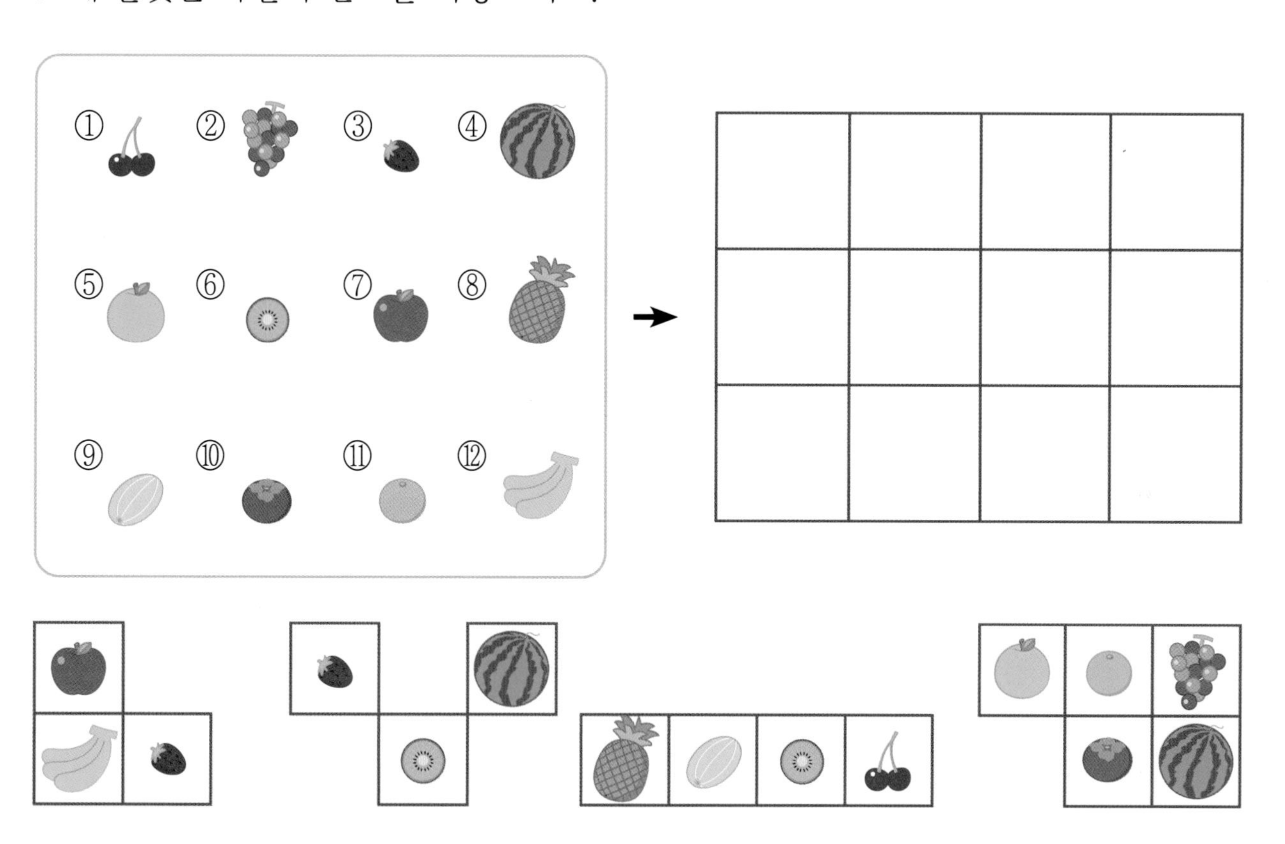

표의 일부분으로 과일의 위치를 찾아낼 때는 공통으로 들어간 과일을 찾는 것이 중요해. 아래처럼 딸기가 공통으로 있는 경우 둘을 서로 연결하면 딸기 주변의 과일의 위치를 찾기가 쉬워져.

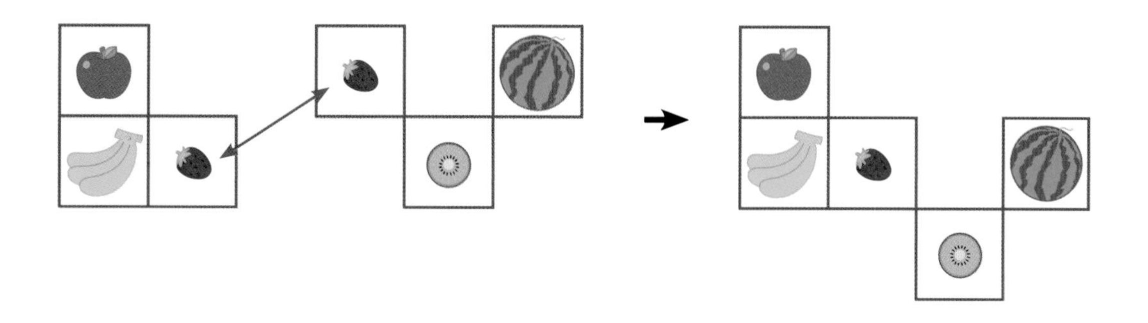

1 전체와 일부분의 모양

1부터 12까지의 수를 순서에 상관없이 표에 하나씩 넣으려고 합니다. 일부분의 모양을 보고 표를 채워 보시오.

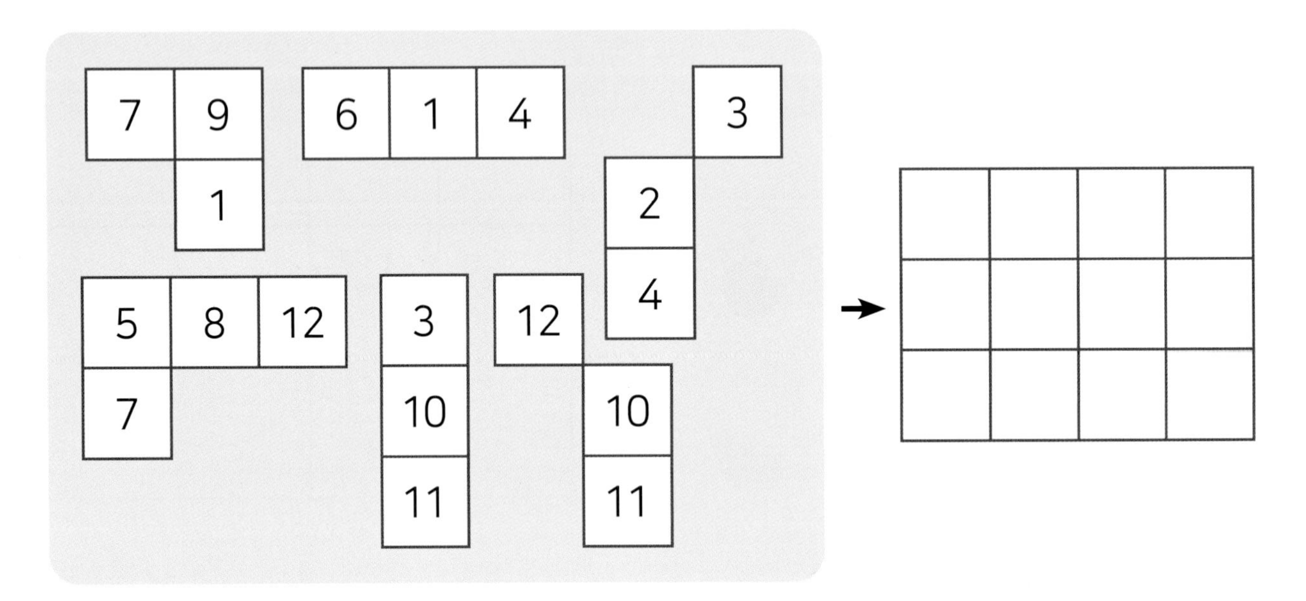

냥이가 깜이에게 하고 싶은 말을 표에 써서 완성한 다음 일부분의 모양들을 보냈습니다. 표를 완성시켜 냥이가 보내는 글을 써넣으시오.

후	5	시
		드

오		
에	서	배

	원	앞
턴	치	

시	에	공
		턴

에	공	원
민		

공	원	
	치	자

→

같은 색 칸의 위치에 글자를 넣고 생각해 봐.

탐구 유형 1-1 **도미노 놓기**

도미노 6개를 숫자 판 위의 숫자와 도미노의 점의 개수가 같도록 모두 올려 놓으려고 합니다. 숫자 판의 색칠된 칸에 알맞은 수를 써넣으시오.

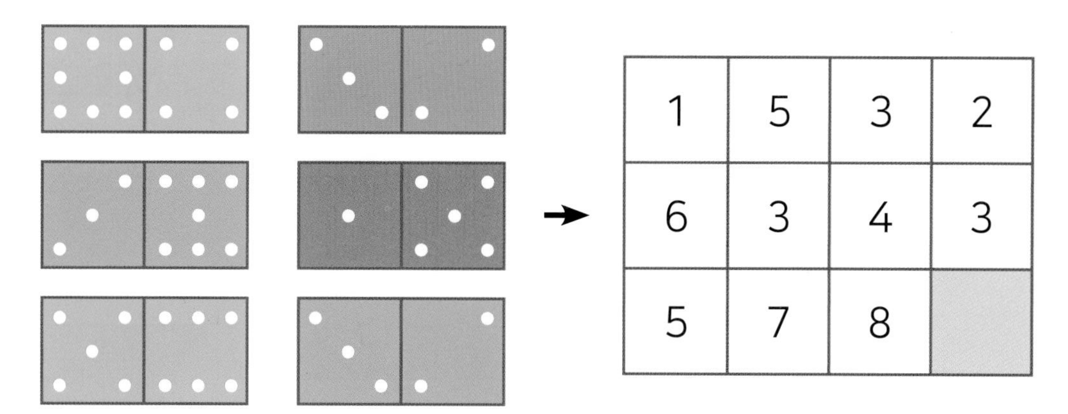

1	5	3	2
6	3	4	3
5	7	8	

• Point 하나씩 연결된 숫자를 찾아 숫자 판을 지워 나갑니다.

(1) 하나씩 도미노가 놓일 자리를 색칠하고 사용한 도미노는 ×표 하시오.

(2) 마지막 남은 도미노를 보고 색칠된 칸에 알맞은 수를 써넣으시오.

습

01 오른쪽 숫자 판 위의 숫자와 도미노의 점의 개수가 같도록 도미노를 올려 놓으려고 합니다. 놓을 수 있는 도미노는 몇 개인지 구하시오.

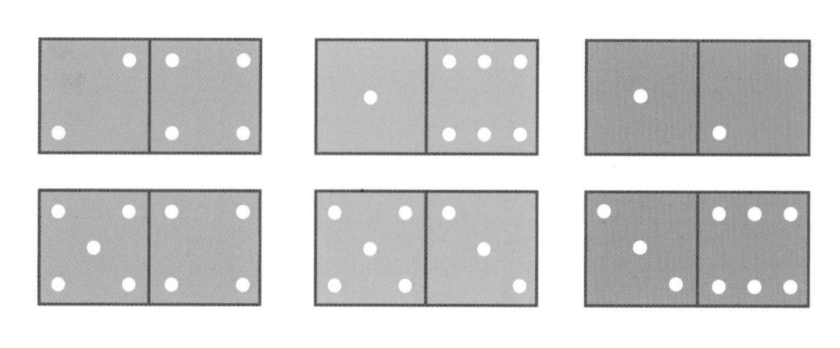

2	4	6	5
5	1	3	4
2	6	4	3

1 전체와 일부분의 모양

02 왼쪽 모양의 일부분인 것은 몇 개인지 구하시오.

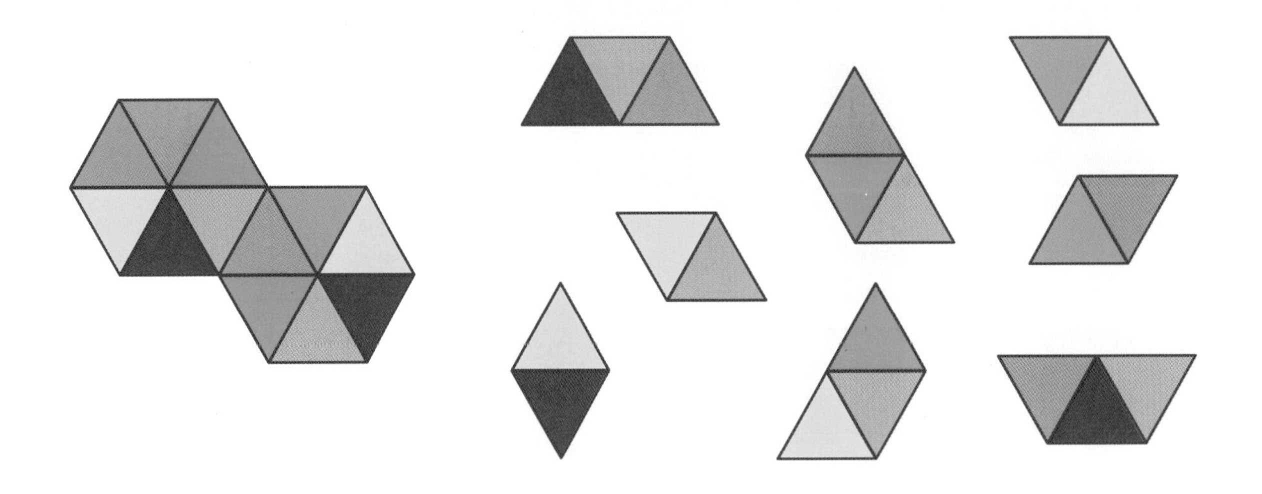

연습

03 모양 안에 수를 쓰고 그 일부분을 나타낸 것입니다. ○ 안에 알맞은 수를 써넣으시오.

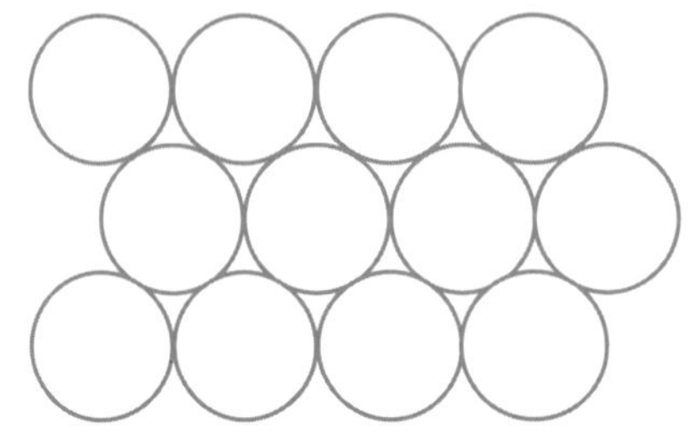

탐구 유형 1-2 연결된 모양

공이 알맞게 연결되도록 ㉠과 ㉡에 들어가야 하는 모양의 번호를 쓰시오.

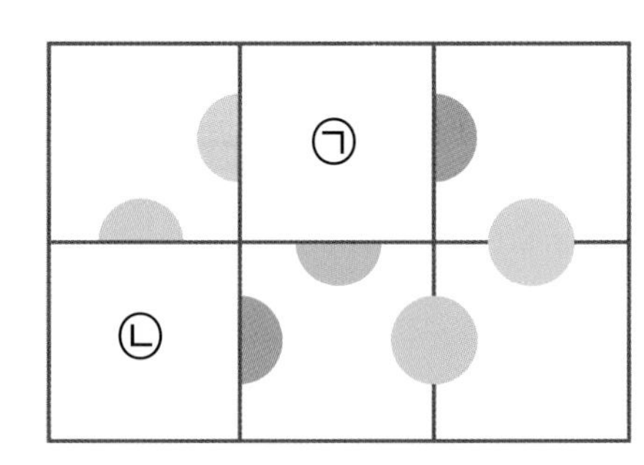

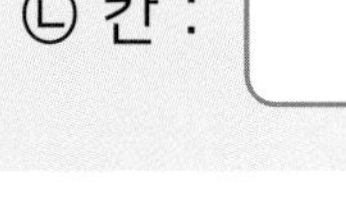
㉠ 칸 :

㉡ 칸 :

① 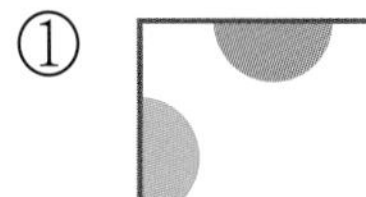 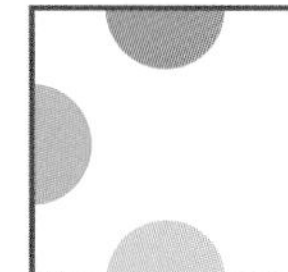　② 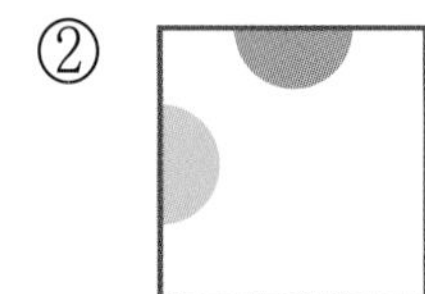　③ 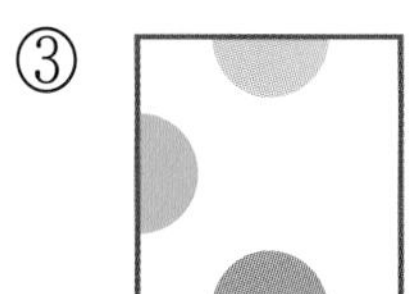　④ 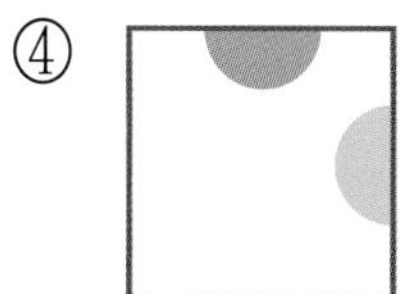

• Point ㉠은 3개, ㉡은 2개의 공이 만들어져야 하고 모양을 돌려서 넣는 경우를 생각합니다.

01 9장의 색종이를 테이프로 붙여 놓았습니다. 가운데 들어가야 할 색종이를 찾아 ○표 하시오. 단, 한 쪽 면에만 테이프를 붙였습니다.

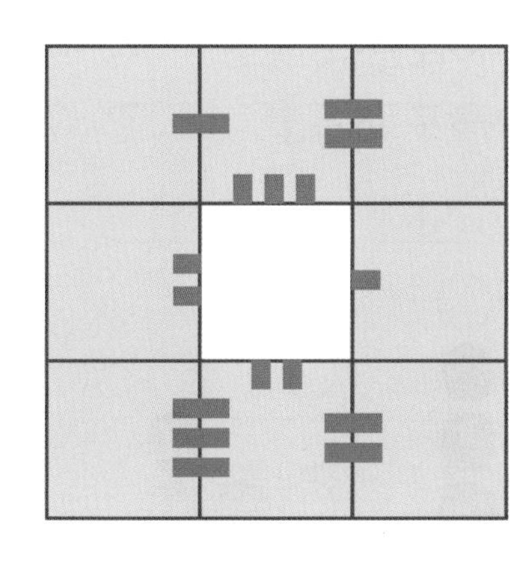

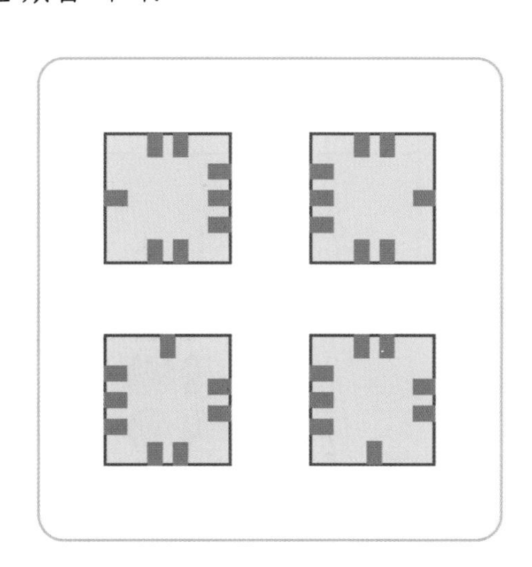

경로 찾기 퍼즐

레이저의 빛을 쏘면 똑바로 가지만 거울을 만나면 방향이 바뀝니다.

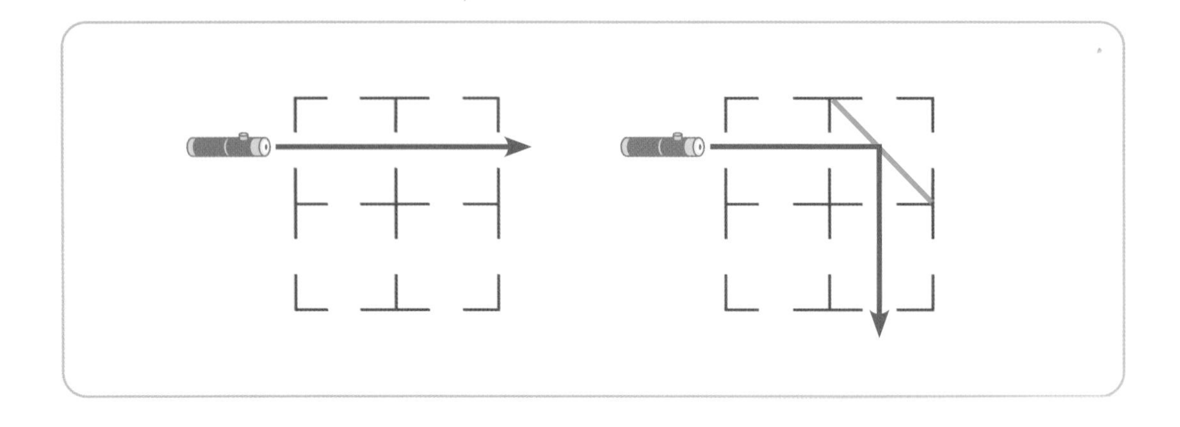

레이저의 빛이 모든 거울에 한 번씩 반사되어 화살표 방향으로 나오도록 하려고 합니다. 알맞은 곳에 거울 1개를 더 그려 넣으시오.

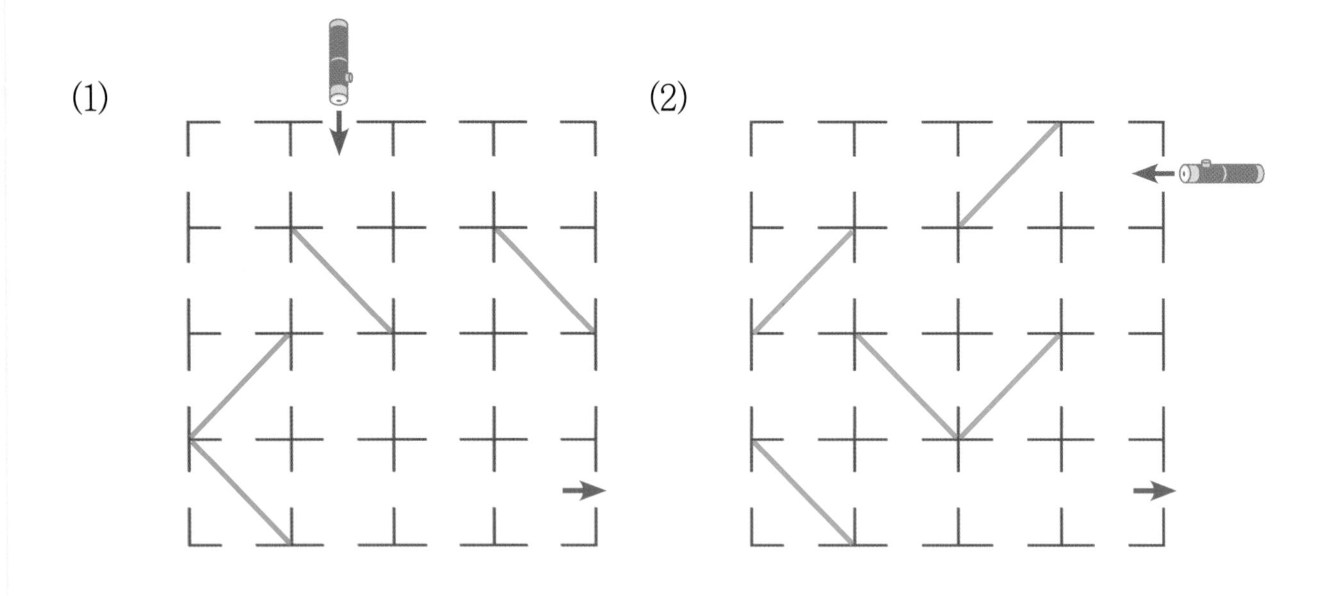

레이저의 빛이 출발해서 도착하는 곳까지 다음 거울에 계속 이어지도록 거울을 놓아야 해.

두 레이저의 빛이 모두 같은 색의 화살표 방향으로 빠져나가도록 거울 1개를 더 그려 넣으시오.

(1)

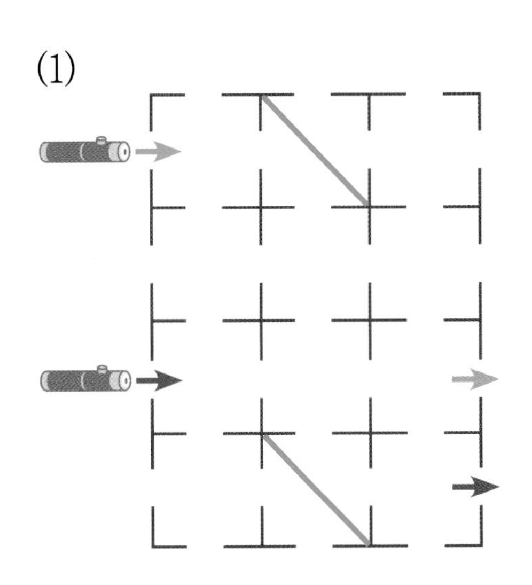

(2)

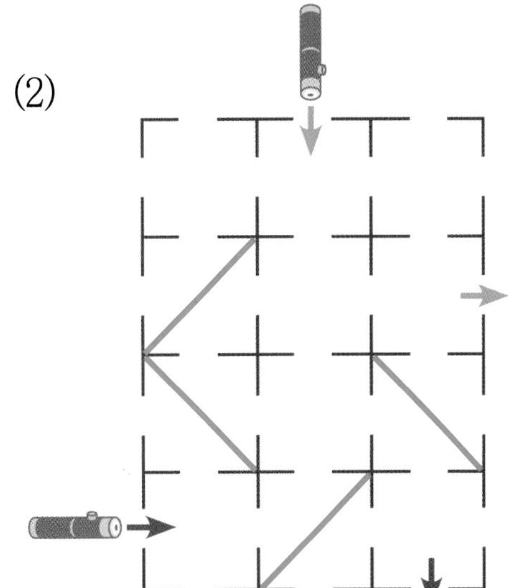

두 레이저의 빛이 모두 같은 색의 화살표 방향으로 빠져나가도록 거울 2개를 더 그려 넣으시오.

(1)

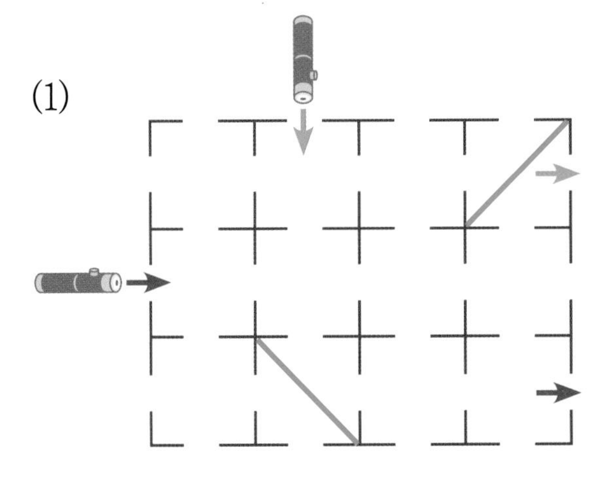

(2)

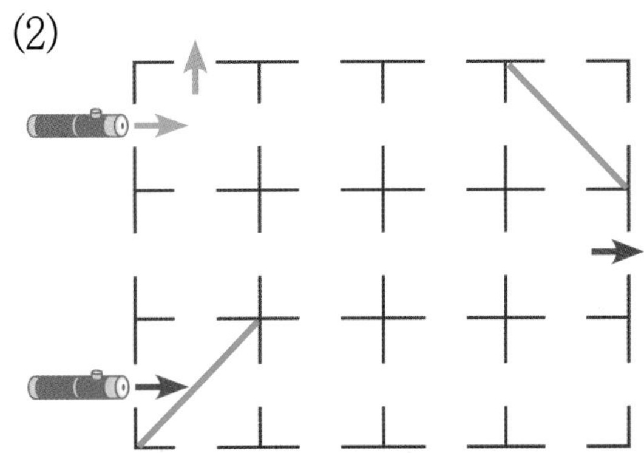

경로 찾기 퍼즐

탐구 유형 2-1 모양의 방향 찾기

같은 모양이 있는 칸은 모두 같은 방향으로 움직여야 합니다. 도착 지점까지 가려면 각 모양이 어떤 방향을 나타내야 하는지 화살표의 방향(↑ ↓ →)을 그려 넣으시오.

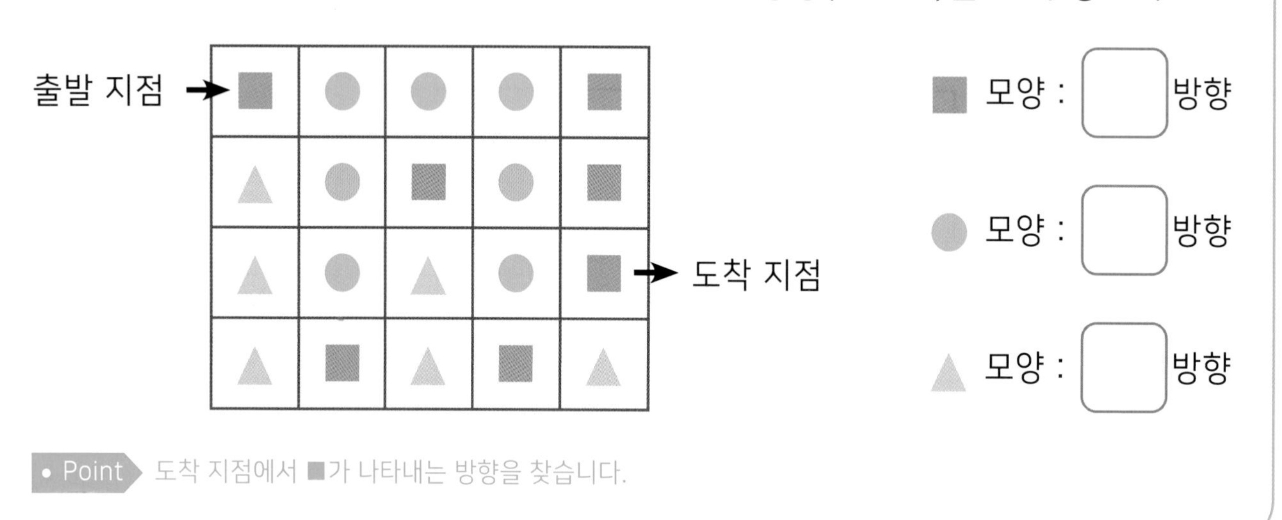

• Point 도착 지점에서 ■가 나타내는 방향을 찾습니다.

연습 01 같은 과일이 있는 칸은 같은 방향으로 움직입니다. 출발 지점에서 도착 지점까지 가는 길을 그리시오.

출발 지점

도착 지점

02 같은 색이 있는 칸은 같은 방향으로 움직입니다. 출발 지점에서 도착 지점까지 가는 길을 그리시오.

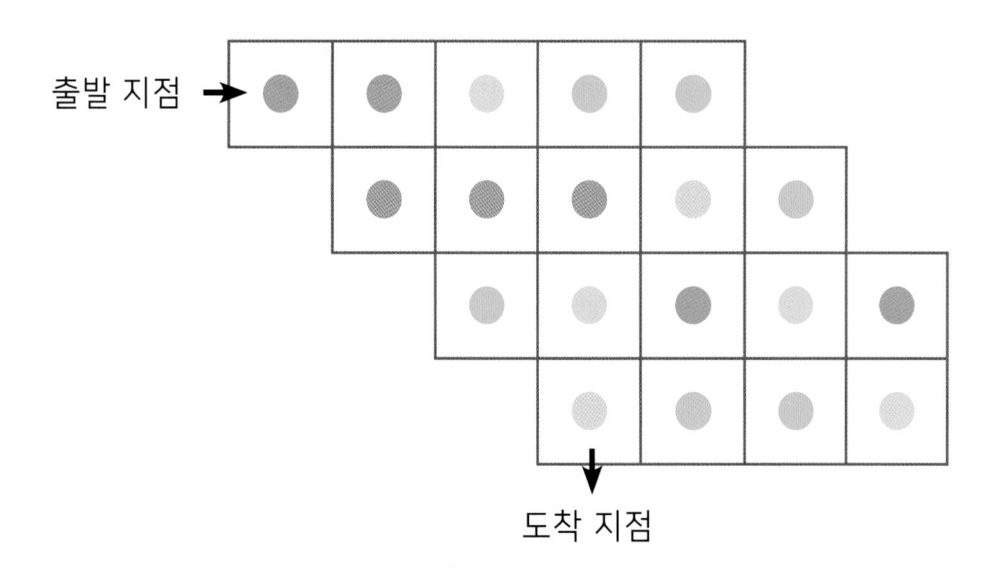

03 같은 모양이 있는 칸은 같은 방향으로 움직입니다. 출발 지점에서 도착 지점까지 갈 수 있도록 색칠된 빈 곳에 알맞은 모양을 그리시오.

출발 지점 ↓ (오른쪽 위 칸)

	△	□	□	○	△
□	△	(색칠된 빈 칸)	○	□	△
△	△	□	□	○	○
○	○	□	△	△	

도착 지점 ← (왼쪽 아래 칸)

경로 찾기 퍼즐

탐구 유형 2-2 자동차 경주장 만들기

보기 의 규칙으로 자동차 경주장을 만들려고 합니다. 나머지 도로를 선으로 완성해 보시오.

보기

① 도로가 모든 칸을 지납니다.

② 색칠된 칸은 동그란 도로, 색칠되지 않은 칸은 곧은 도로로 그립니다.

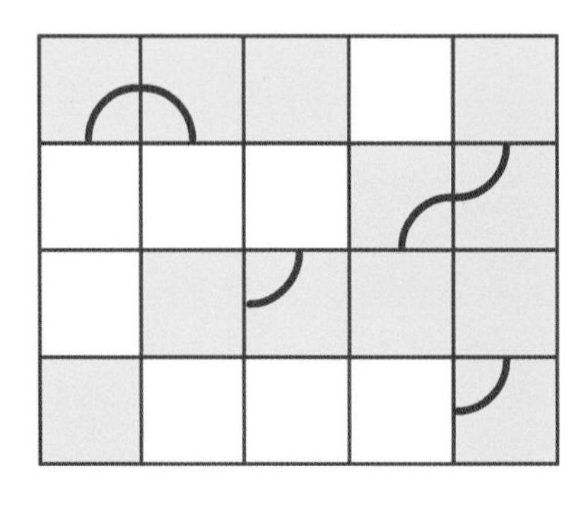

• Point 색칠된 칸에서 동그란 도로의 모양이 곧은 도로와 이어지도록 미리 예측해서 그려 봅니다.

연습

01 같은 규칙으로 선이 모두 이어지도록 나머지 선을 그리시오.

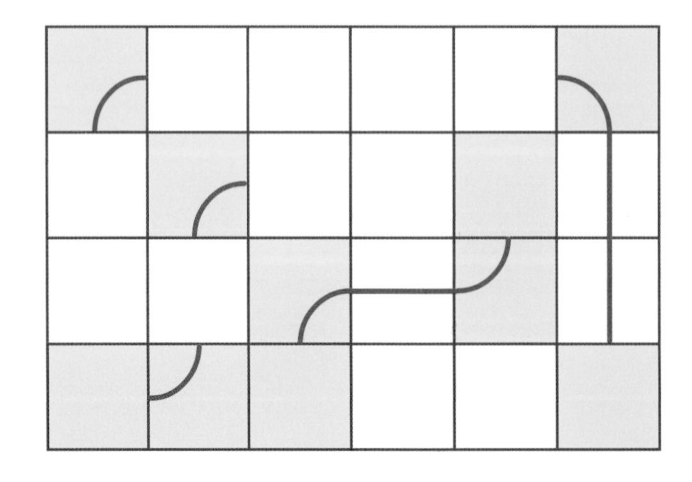

02 보기 와 같은 규칙으로 모든 칸에 선을 그리시오.

보기

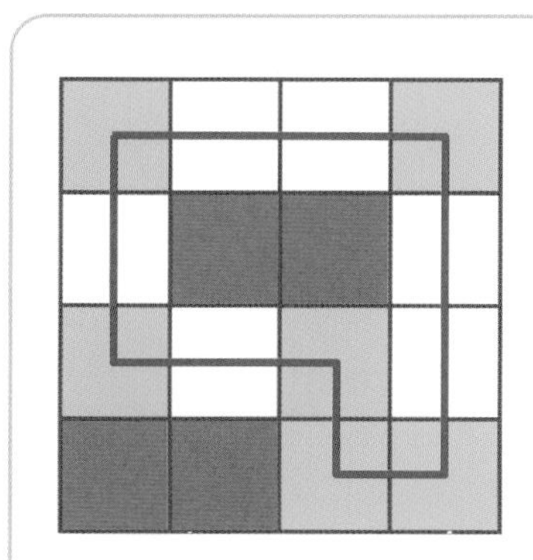

① 회색 칸은 선이 지나가지 않습니다.

② 색칠되지 않은 칸은 가로나 세로로 곧은 선이 지나갑니다.

③ 연두색 칸에서 선의 방향이 바뀝니다.

(1)

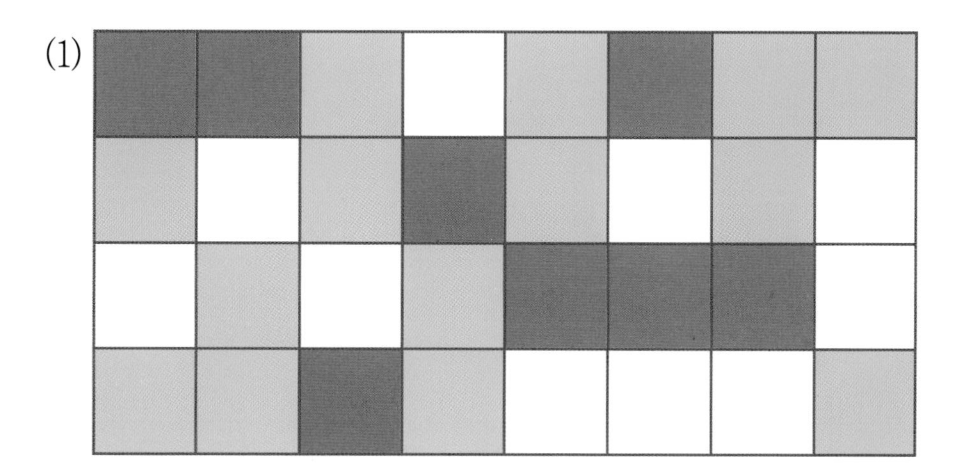

(2)

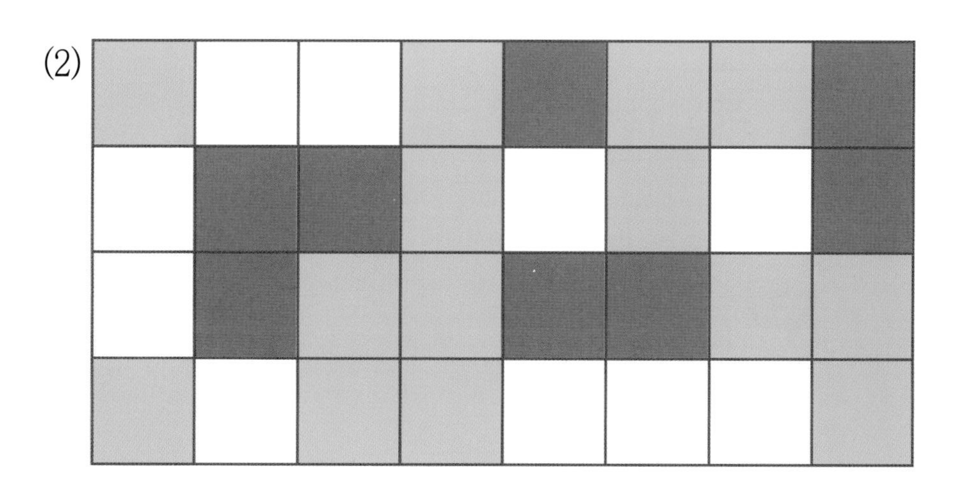

경로 찾기 퍼즐

탐구 유형 2-3 로봇 청소기가 다니는 길

보기 의 규칙대로 청소기가 모든 칸을 청소할 수 있도록 화살표를 그려 넣으시오.

보기

	4		
		3	
3			
			6

① 청소기에 쓰인 숫자는 청소기가 움직이면서 청소할 수 있는 칸의 개수를 나타냅니다.

② 1개의 청소기에 화살표를 2개씩 그려야 합니다.

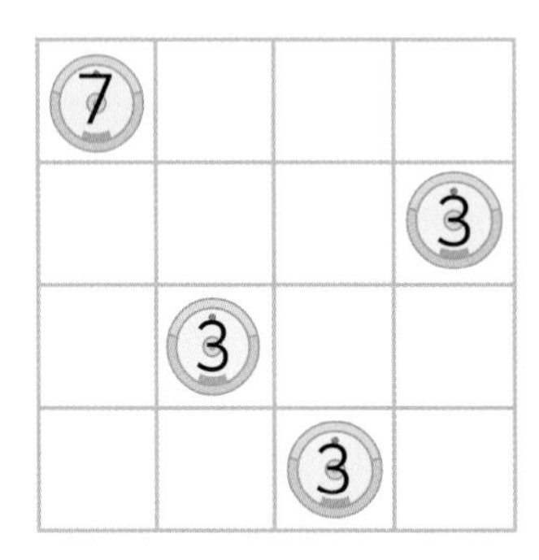

• Point 가장 큰 수를 가지고 있는 청소기의 칸부터 정합니다.

연습

01 같은 규칙으로 화살표를 그려 넣으시오.

			4
	3		
5			
		4	

02 보기 의 규칙으로 청소기가 다닐 수 있는 칸을 나누는 선을 그리시오.

보기

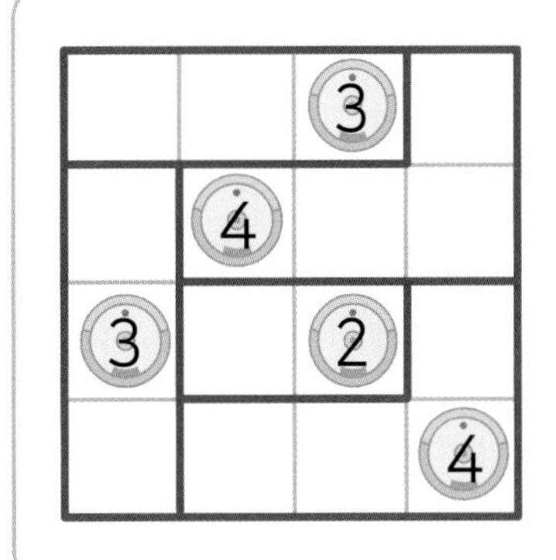

① 나눈 부분에 청소기가 하나씩 들어갑니다.

② 나눈 칸의 개수가 청소기에 쓰인 숫자와 같아야 합니다.

(1)

			3
4		2	
	4		3

(2)

		2		
	2		4	
3			5	

(3)

5			4		3
	5				
			3	2	

조건에 맞게 나누는 방법은 여러 가지가 있어.

일부분의 모양 중 (세로 3칸 가로 2칸 모양)나 (가로 3칸 세로 2칸 모양) 모양은 색칠된 칸이 항상 4칸입니다.

01 오른쪽 모양의 일부분을 나타낸 모양은 몇 개인지 구하시오.

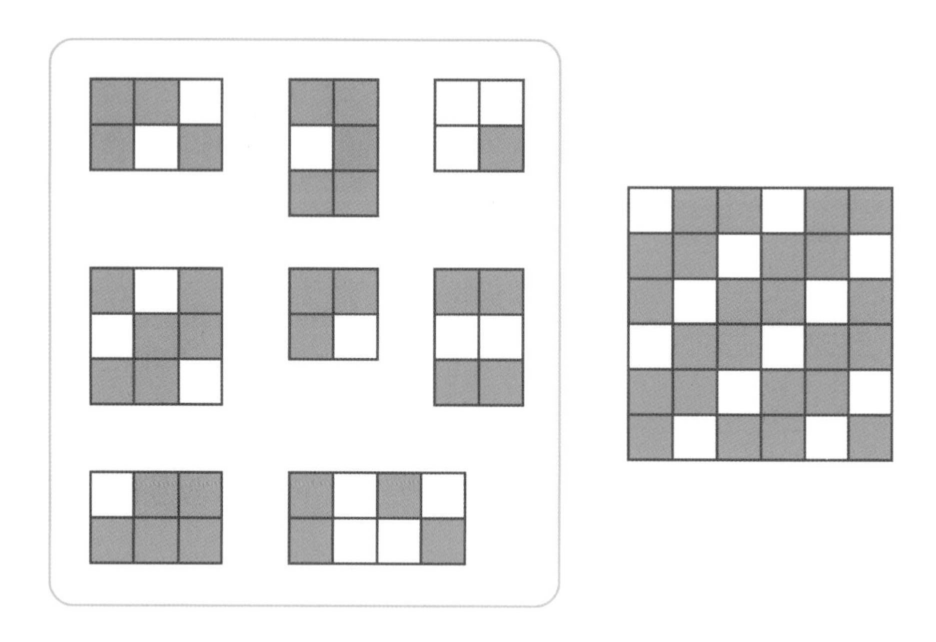

도착 지점 전에서 아래쪽 방향으로 나와야 하므로 출발 지점의 파란색 칸은 오른쪽 방향을 나타냅니다.

02 칸의 색은 오른쪽, 왼쪽, 아래쪽 중에 하나의 방향을 나타내고 있습니다. 다른 색은 다른 방향을 나타낼 때, 가와 나 중 잘못 색칠된 칸을 찾아 기호를 쓰시오.

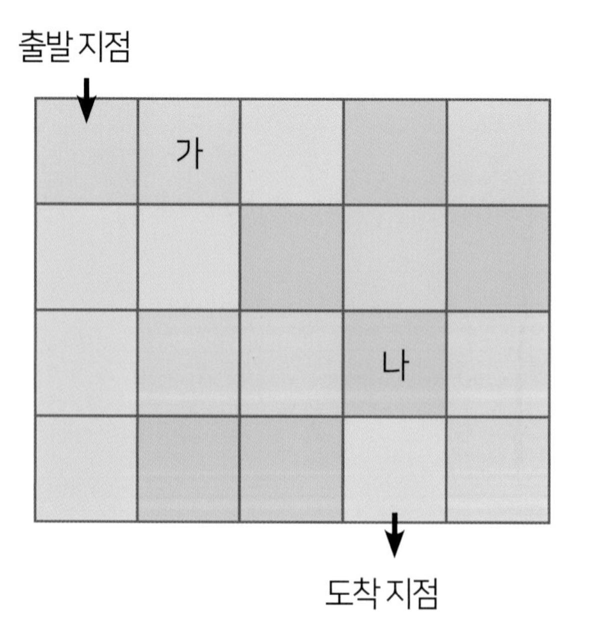

접는 선

03 레이저의 빛이 모든 거울에 반사되어 출구로 빠져나가도록 하기 위해서 방향을 바꾸어야 하는 거울은 몇 개인지 구하시오.

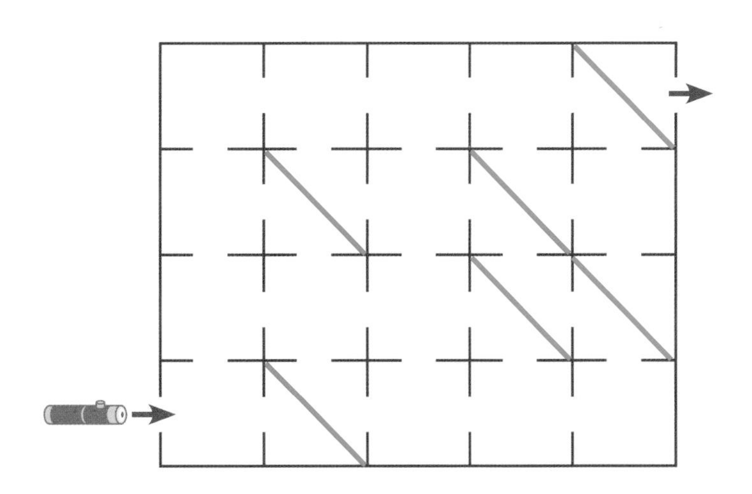

출구까지 나가는 선을 그리면서 방향이 반대되는 거울을 모두 찾습니다.

TOP of TOP

04 흰색과 검은색 바둑돌이 하나씩 있고 같은 개수의 칸이 되도록 4 부분으로 나누려고 합니다. 나누는 선을 그리시오.

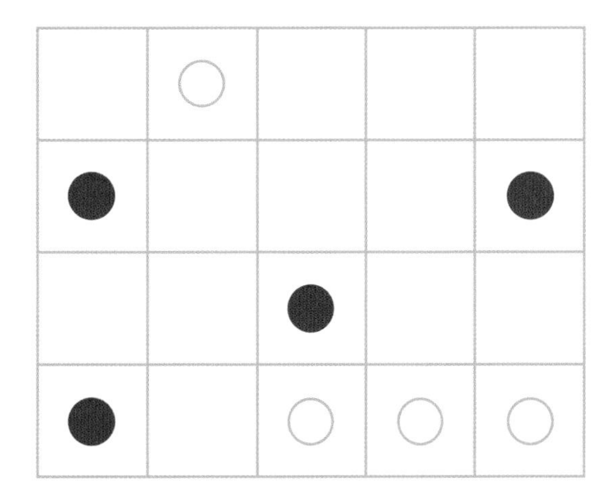

전체가 20칸이므로 한 부분에 몇 칸씩 나누면 되는지 생각해 봅니다.

접는 선

TOP 사고력 쑥쑥

학습주제를 시작할 때 학습 날짜를 기록하면서 전체 학습 진도 상황을 체크해 보세요.

A5	단원	학습 주제	학습 날짜
규칙	1. 여러 가지 규칙	1-1. 전광판과 반전 규칙	월/ 일
		1-2. 수로 나타낸 규칙	월/ 일
	2. 약속과 규칙	2-1. 새로운 연산 기호	월/ 일
		2-2. 모양과 수를 바꾸는 방망이	월/ 일
		2-3. 모양 안의 수들의 관계	월/ 일
논리	3. 논리적 추론	3-1. 수 맞추기 게임	월/ 일
		3-2. 연역표와 논리적 추론	월/ 일
	4. 논리 판단 퍼즐	4-1. 전체와 일부분의 모양	월/ 일
		4-2. 경로 찾기 퍼즐	월/ 일

1-1. 전광판과 반전 규칙 | 01~08

01 규칙에 맞게 빈 곳을 알맞게 색칠하시오.

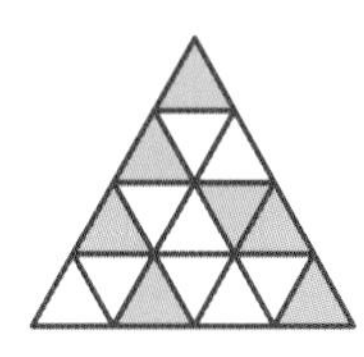 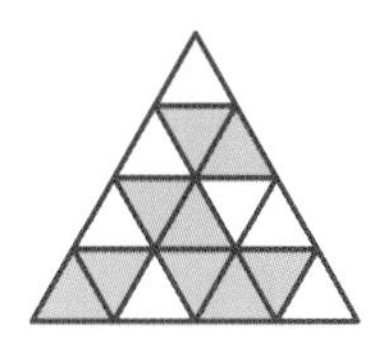 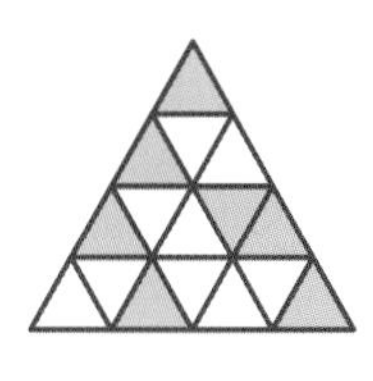  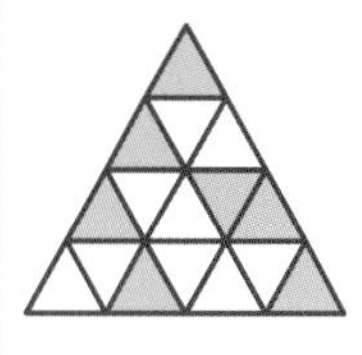

유형 1-1
원래 모양과 색을 바꾸어 그린 모양이 반복되어 규칙을 이루고 있습니다.

02 다른 규칙 1개를 고르시오.

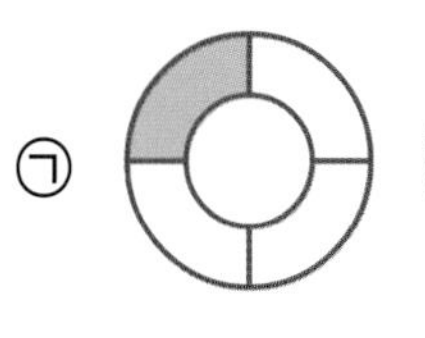 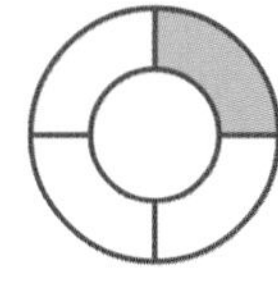 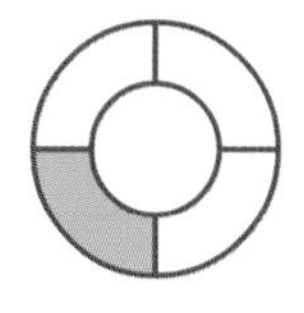 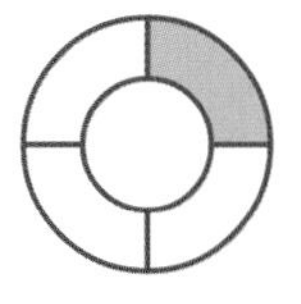 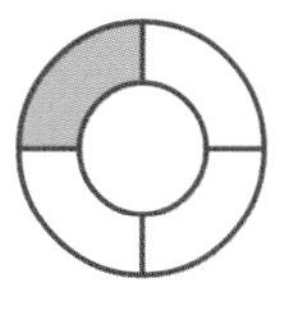 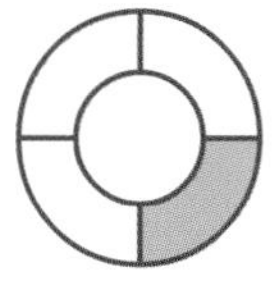

 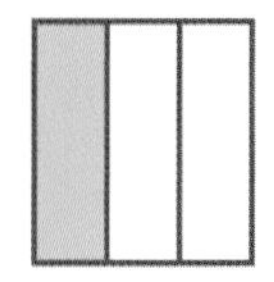 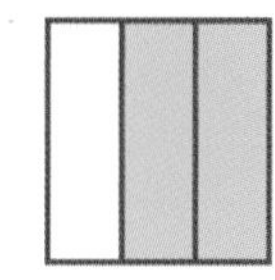 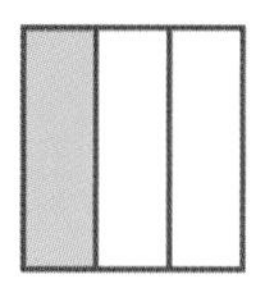 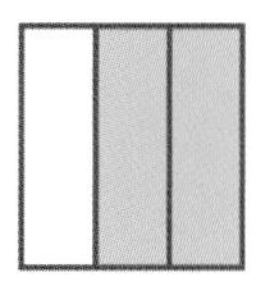 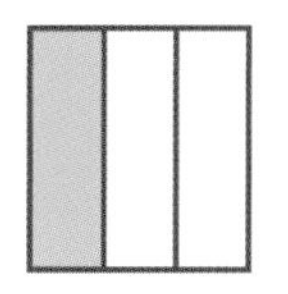 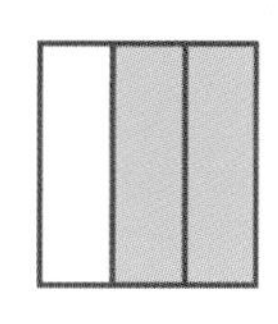

 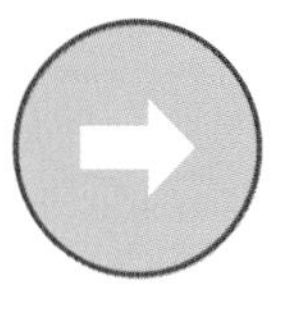      

유형 1-1
2개는 반전 규칙입니다.

접는 선

유형 1-2
반전되면서 칸이 규칙적으로 움직이고 있습니다.

03 규칙에 맞게 빈 곳을 알맞게 색칠하시오.

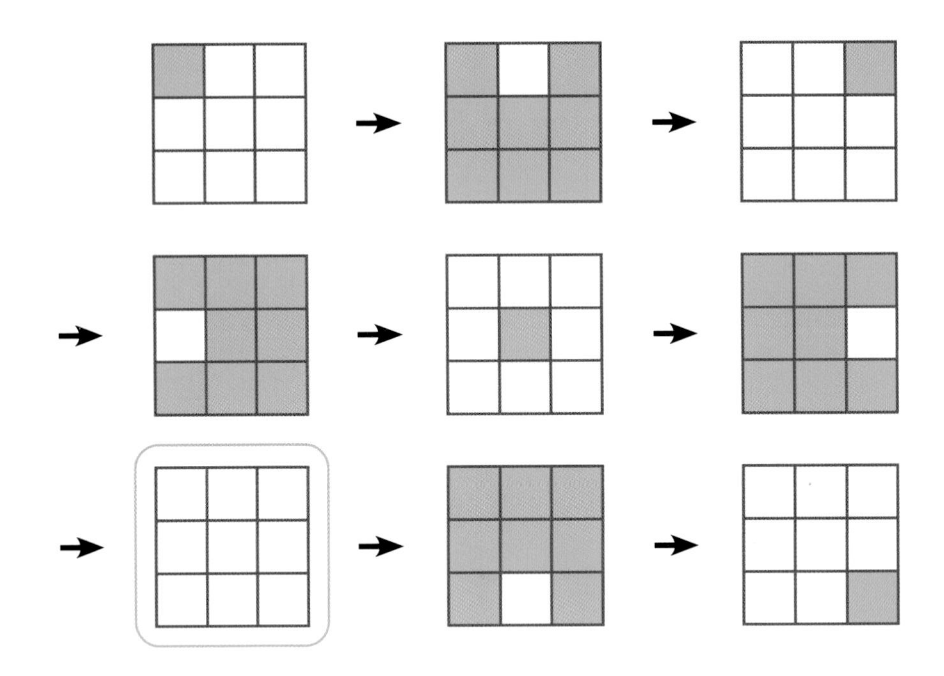

유형 1-2
색칠된 두 칸과 색칠되지 않은 두 칸이 일정한 규칙으로 움직입니다.

04 규칙에 맞게 마지막 모양을 알맞게 색칠하시오.

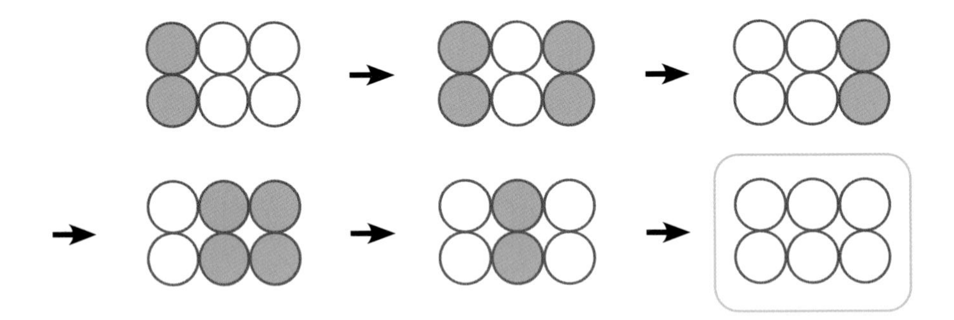

접는 선

05 규칙에 맞게 빈 곳에 알맞은 모양을 그려 넣으시오.

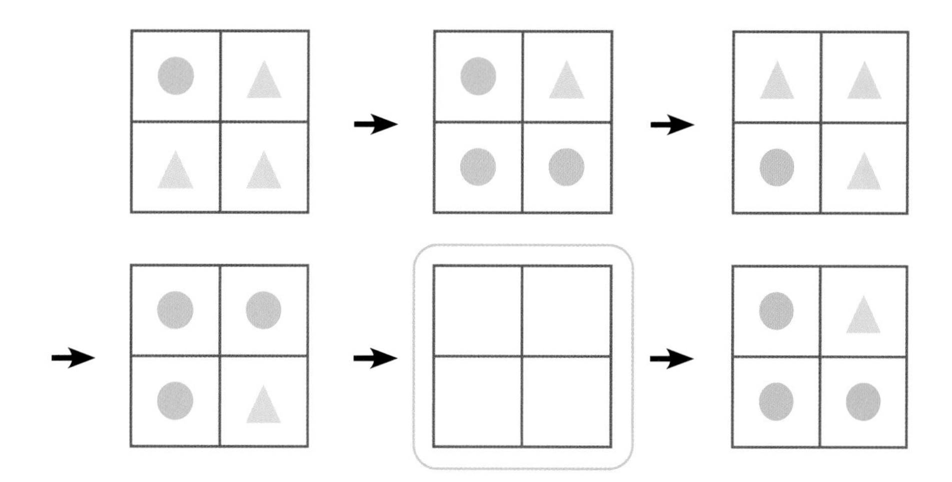

유형 1-2
빈 곳에는 ●가 1개, ▲가 3개 들어가야 합니다.

06 규칙적으로 흰색과 검은색 바둑돌을 늘어놓았습니다. 빈 곳에 놓이는 바둑돌을 그리시오.

유형 1-2
바둑돌 전체 개수가 늘어나면서 흰색과 검은색의 자리가 바뀝니다.

접는 선

유형 1-3
개수가 일정하게 늘어나면서 흰색과 검은색 바둑돌의 자리가 바뀝니다.

07 규칙적으로 흰색과 검은색 바둑돌을 늘어놓았습니다. 다음에 놓을 바둑돌의 모양을 그리시오.

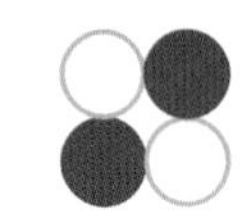
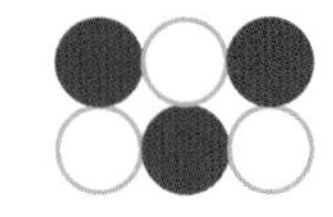
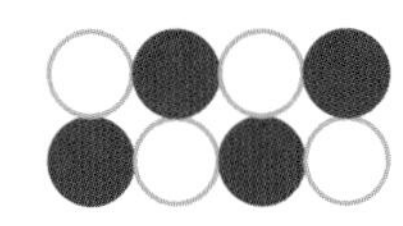

유형 1-3
아래로 한 줄씩 늘어날 때마다 흰색과 검은색 바둑돌의 자리가 바뀝니다.

08 규칙적으로 흰색과 검은색 바둑돌을 늘어놓았습니다. 빈 곳에 바둑돌의 모양에 맞게 색칠하시오.

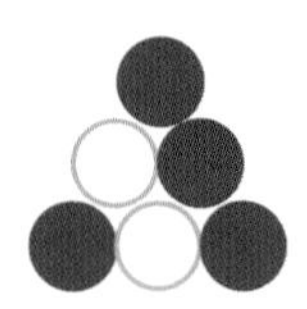

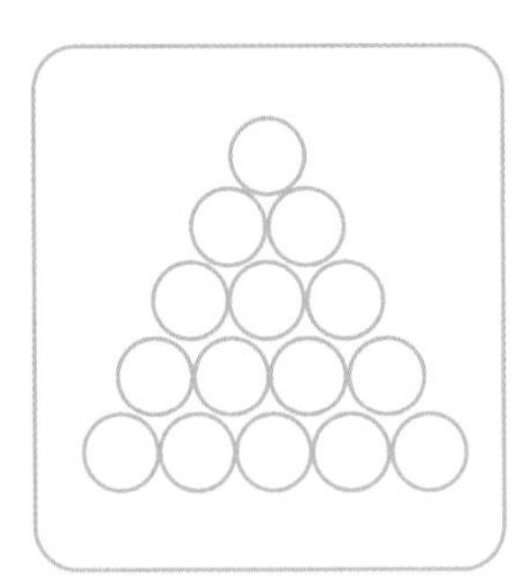

접는 선

1-2. 수로 나타낸 규칙 | 09~16

09 규칙적으로 사과와 배를 늘어놓았습니다. 11번째에 놓이는 배의 개수를 구하시오.

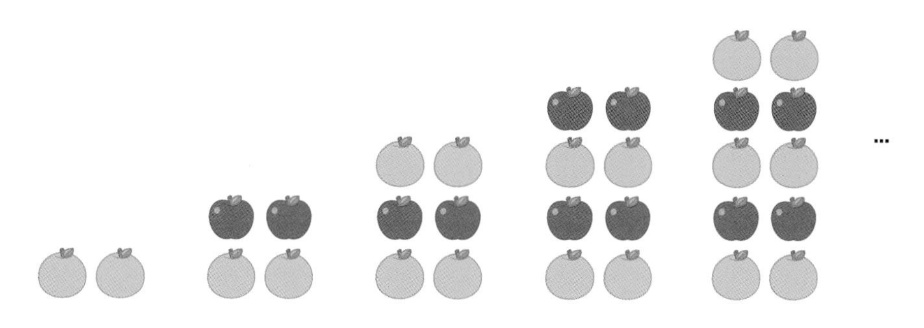

유형 2-1
첫 번째와 두 번째, 세 번째와 네 번째의 배의 개수가 같습니다.

10 모양의 개수가 규칙적으로 놓여 있습니다. 다음에 놓이는 모양의 개수를 구하시오.

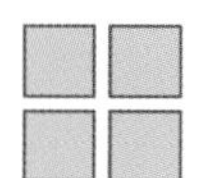
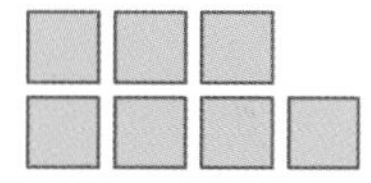
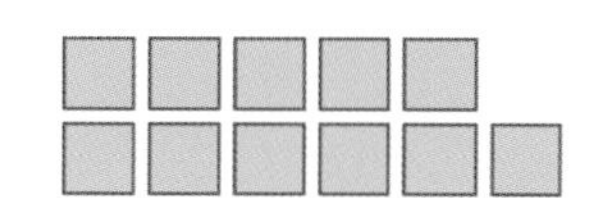

늘어나는 규칙을 수로 표현해 봅니다.

접는 선

유형 2-2
■칸은 일정하게 개수가 늘어나고 ■칸은 일정하게 개수가 줄어듭니다.

11 규칙을 찾아 빈 곳에 ■칸의 개수는 ■칸의 개수보다 몇 개 더 많은지 구하시오.

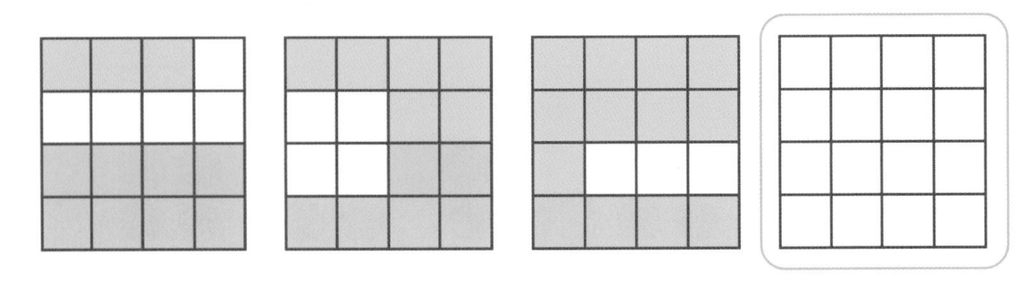

유형 2-2
두 블록의 개수의 차의 규칙을 살펴봅니다.

12 규칙에 맞게 두 가지 블럭을 쌓아 놓았습니다. 15번째 놓이는 모양에서 블록은 블록보다 몇 개 더 많은지 구하시오.

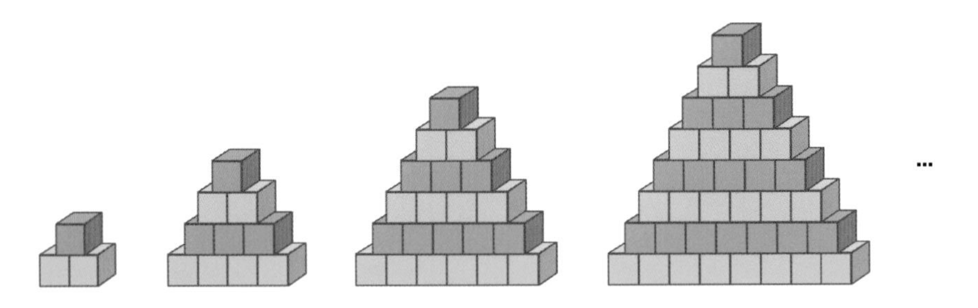

접는 선

13 규칙적으로 흰색과 검은색 바둑돌을 놓았습니다. 다음에 놓이는 검은색 바둑돌은 모두 몇 개인지 구하시오.

다음에 놓이는 전체 바둑돌은 가로와 세로가 모두 7개씩 놓이게 됩니다.

14 수 배열표에 규칙적으로 수를 써 나갈 때, 색칠된 칸의 수를 구하시오.

유형 2-3

한 칸씩 밑으로 내려갈 때마다 규칙적으로 몇 씩 커집니다.

6	5	4	3	2	1
12	11	10	9	8	7
					13

접는 선

! 유형 2-3

한 칸씩 오른쪽으로 갈 때마다 규칙적으로 몇 씩 커집니다.

15 수 배열표에 규칙적으로 수를 써 나갈 때, 색칠된 칸의 수를 구하시오.

1	5	9			
2	6	10			
3	7	11			
4	8				

! 유형 2-3

수를 써 나가면 가로줄의 일의 자리 숫자가 1, 2, 3, 4, 5와 6, 7, 8, 9, 0이 반복됩니다.

16 수 배열표에 규칙적으로 수를 써 나갈 때, 82와 같은 세로줄의 기호를 쓰시오.

1	2	3	4	5
6	7	8	9	10
11	12	13	14	
㉠	㉡	㉢	㉣	㉤
⋮	⋮	⋮	⋮	⋮

접는 선

2. 약속과 규칙

2-1. 새로운 연산기호 | 01~04

01 ★ 모양의 규칙에 따라 계산한 결과를 보고 □ 안에 알맞은 수를 써넣으시오.

가 ★ 나 = 가 + 나 - 2

3 ★ 4 = 3 + 4 - 2 = 5

7 ★ 1 = 7 + 1 - 2 = 6

(1) 1 ★ □ = 2　　(2) □ ★ 6 = 14

유형 1-1
★는 두 수를 더한 다음 2를 빼는 약속입니다.

02 보기 의 규칙을 보고 □ 안에 알맞은 수를 써넣으시오.

보기

2 ♣ 4 = 10	12 ♠ 5 = 3
5 ♣ 8 = 17	16 ♠ 8 = 4
14 ♣ 21 = 39	45 ♠ 21 = 20

(1) 13 ♣ 11 = □　　(2) 29 ♠ 4 = □

유형 1-1
♣는 두 수의 합과 관계가 있고 ♠는 두 수의 차와 관계가 있습니다.

접는 선

유형 1-1
두 수의 크기를 비교한 다음 화살표의 방향을 살펴봅니다.

03 보기 의 규칙을 보고 □ 안에 알맞은 기호를 써넣으시오.

보기

16	→	11	=	16	35	←	25	=	25
82	→	28	=	82	64	←	46	=	46
17	→	26	=	26	54	←	55	=	54

(1) 57 □ 75 = 57 (2) 19 □ 9 = 19

유형 1-1
두 수를 더한 다음 공통적인 규칙을 찾아봅니다.

04 모두 같은 모양을 사용하여 수를 계산하였는데 하나가 잘못 계산되었습니다. 잘못 계산한 식의 기호를 쓰시오.

가. 7 ◈ 2 = 18	나. 3 ◈ 1 = 8
다. 6 ◈ 4 = 12	라. 5 ◈ 5 = 20
마. 8 ◈ 1 = 18	바. 9 ◈ 4 = 26

접는 선

2-2. 모양과 수를 바꾸는 방망이 | 05~10

05 (　　) 안의 두 수가 변하는 규칙을 보고 □ 안에 알맞은 수를 써넣으시오.

(5, 7) → 12　　　(15, 8) → 17

(32, 21) → 21　　　(13, 45) → 42

(8, 39) → □

> 유형2-1
> 두 수의 차를 구한 다음 일정한 규칙을 찾아봅니다.

06 모양이 변한 규칙을 보고 빈 곳에 알맞게 색칠하시오.

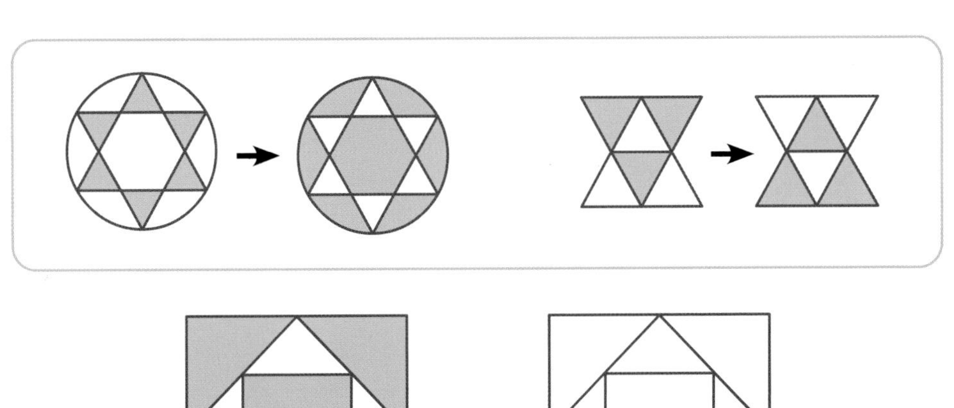

> 유형2-2
> 모양은 변하지 않고 색칠된 칸이 일정한 규칙에 따라 달라집니다.

접는 선

유형 2-1
두 자리 수를 일의 자리 숫자와 십의 자리 숫자로 나누어 생각합니다.

07 수가 변하는 규칙을 찾고 □ 안에 들어갈 수 있는 두 자리 수는 몇 개인지 구하시오.

24 → (벌) → 6　　35 → (벌) → 8

46 → (벌) → 10　　29 → (벌) → 11

□ → (벌) → 2

유형 2-1
처음 수에서 해와 달을 연속해서 만나면 수가 어떻게 변할지 생각해 봅니다.

08 보기 의 수가 변하는 규칙을 찾아 □ 안에 알맞은 수를 써넣으시오.

보기

12 → (해) → 15　　15 → (달) → 13

8 → (해) → 11　　11 → (달) → 9

(1) 12 → (해) → (달) → □

(2) □ → (해) → (달) → 23

접는 선

09 보기 의 규칙에 맞게 □ 안에 알맞은 수를 써넣으시오.

72 → ○ → X → X → ○ → X → □

> **! 유형 2-1**
> O는 수가 그대로 나오므로 X의 개수만 따지면 됩니다.

10 빈 곳에 알맞은 모양을 그려 넣으시오.

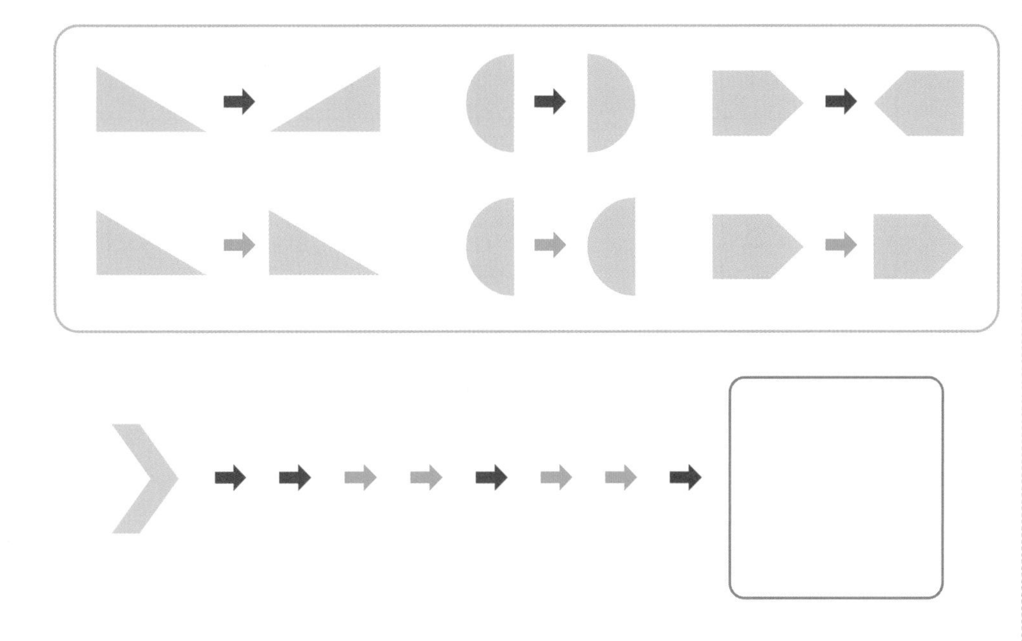

> **! 유형 2-2**
> 빨간색 화살표를 두 번 거치면 같은 모양이 됩니다.

접는 선

2-3. 모양 안의 수들의 관계 | 11~16

유형 3-1
모양 안의 세 수를 모두 더해봅니다.

11 모양 안의 세 수의 규칙이 모두 같도록 색칠한 빈 곳에 알맞은 수를 써넣으시오.

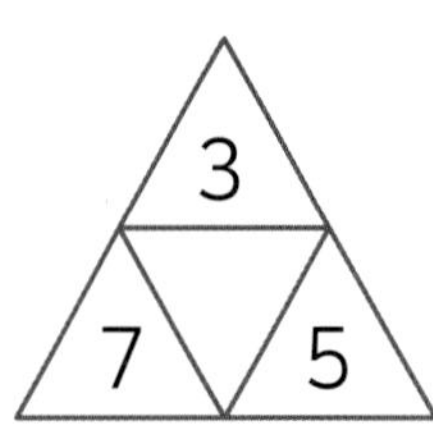

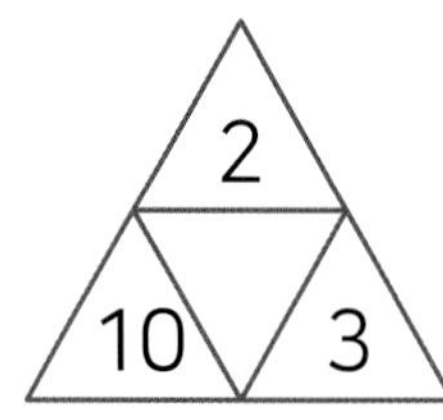

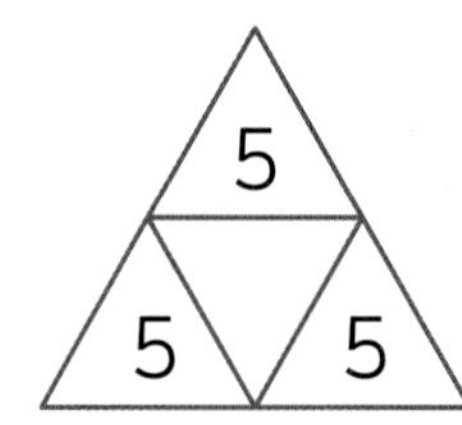

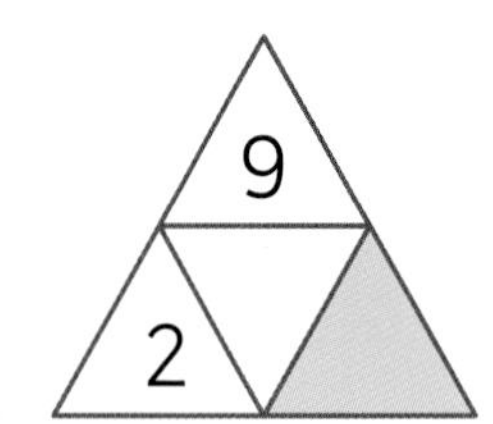

유형 3-1
세 수중에 두 수를 더하거나 빼서 같은 규칙을 찾아냅니다.

12 규칙을 찾아 마지막 빈 곳에 알맞은 수를 써넣으시오.

8	11	3

5	14	9

12	16	4

20	23	3

8	39	31

9	16	

접는 선

13 규칙을 찾아 빈 곳에 알맞은 수를 써넣으시오.

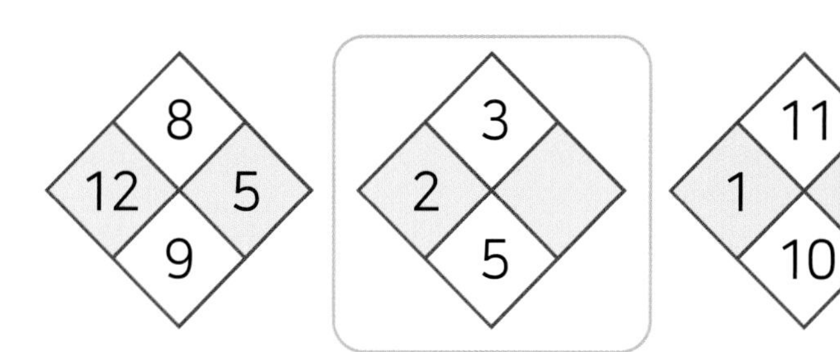

유형 3-1
색칠한 칸과 색칠하지 않은 칸의 수끼리의 규칙을 발견해 봅니다.

14 다른 것과 규칙이 다른 것의 기호를 쓰시오.

㉠

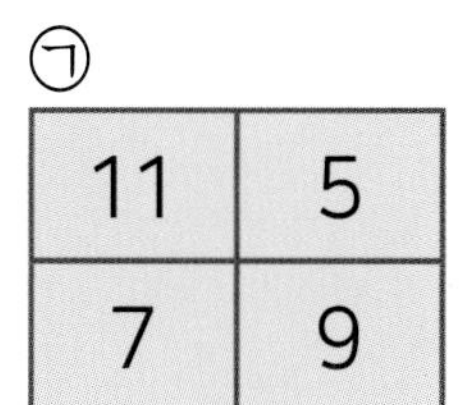

11	5
7	9

㉡

8	10
2	16

㉢

5	10
10	20

㉣

1	9
8	2

유형 3-1
칸 안의 수를 2개씩 짝지어서 더하거나 빼서 규칙을 발견합니다.

접는 선

유형 3-2
같은 색으로 된 마주 보는 칸에 있는 두 수의 관계를 살펴봅니다.

15 두 모양에 같은 규칙으로 수를 넣었습니다. 규칙을 찾아 빈 곳에 알맞은 수를 써넣으시오.

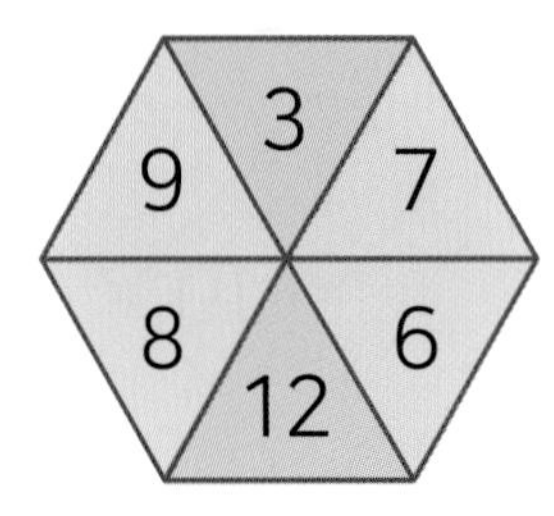

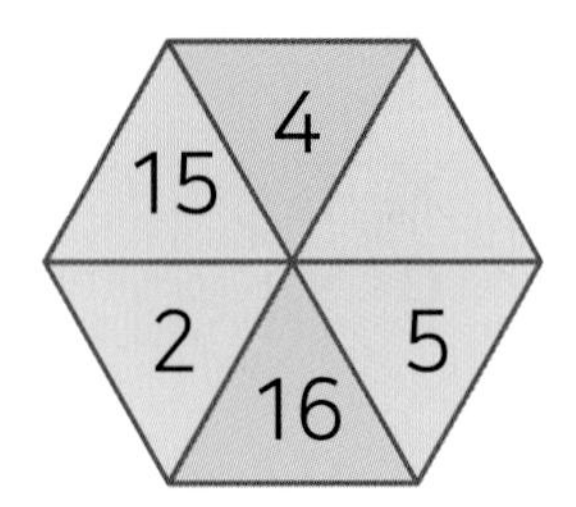

유형 3-2
마주 보고 있는 두 칸의 수와의 관계를 살펴봅니다.

16 보기 와 같은 규칙으로 오른쪽 색칠한 칸에 알맞은 수를 써넣으시오.

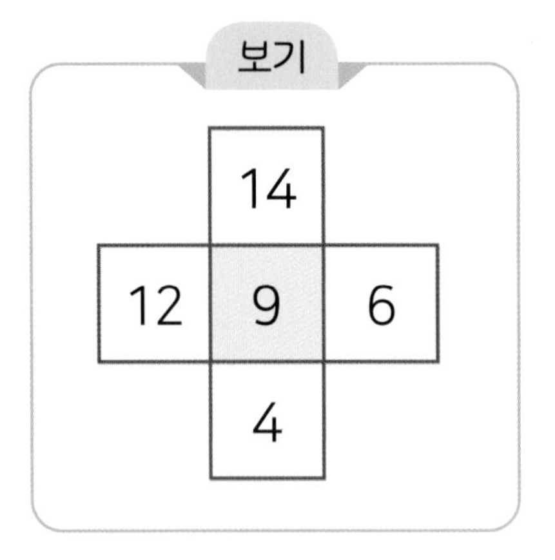

	1	
5		7
	11	

접는 선

3-1. 수 맞추기 게임 | 01~10

01 4개의 과일이 놓인 위치를 찾아 □ 안에 알맞은 기호를 쓰시오.

- 참외는 제일 오른쪽에 있습니다.
- 귤은 딸기와 사과 사이에 있습니다.
- 딸기가 사과보다 오른쪽에 있습니다.

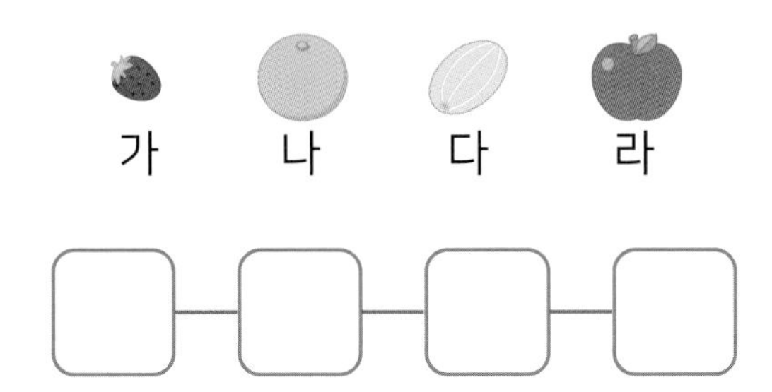

유형1
귤은 왼쪽에서 두 번째에 있어야 합니다.

02 깜이, 냥이, 송연, 주영이가 수학 시험에서 각각 다른 점수를 받았습니다. □ 안에 점수 순서에 맞게 높은 점수를 받은 순서대로 사람의 이름을 쓰시오.

- 깜이는 가장 낮은 점수가 아닙니다.
- 송연이의 점수가 가장 높습니다.
- 주영이는 깜이보다 점수가 높습니다.

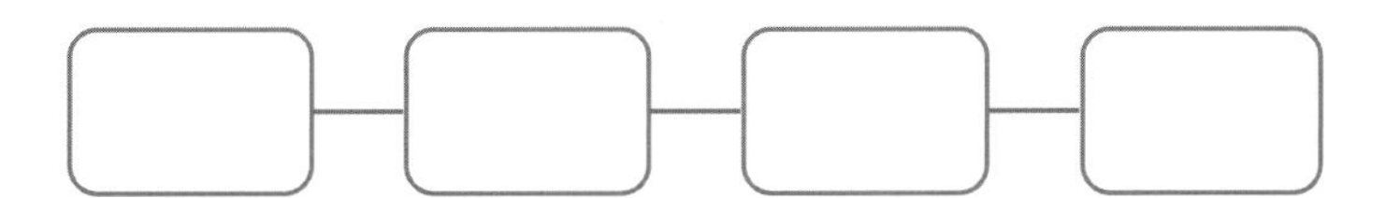

유형1
깜이의 점수가 가장 낮지 않으므로 가장 낮은 점수를 받은 사람은 냥이입니다.

접는 선

유형 1-1
파란색 고리를 2개 빼내야 합니다.

03 두 번 만에 아래 4개의 고리만 빼내려고 합니다. 건드리지 않아도 되는 고리의 기호를 쓰시오.

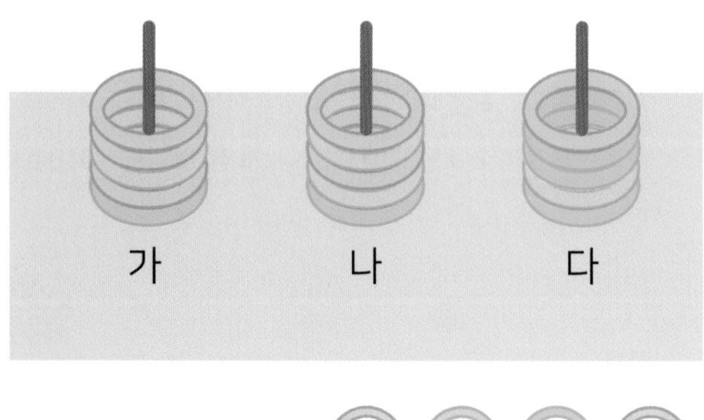

빼내려는 고리 ➔

유형 1-1
빨간색 상자를 빼내기 위해선 그 위에 상자를 모두 빼내야 합니다.

04 각 줄의 맨 위부터 순서대로 상자를 빼려고 합니다. 두 줄에서 아래의 상자 5개를 빼내야 할 때, 빼야 하는 상자에 ○표 하시오.

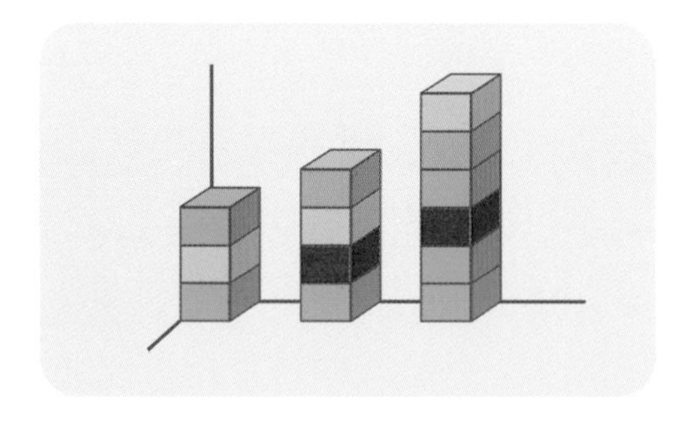

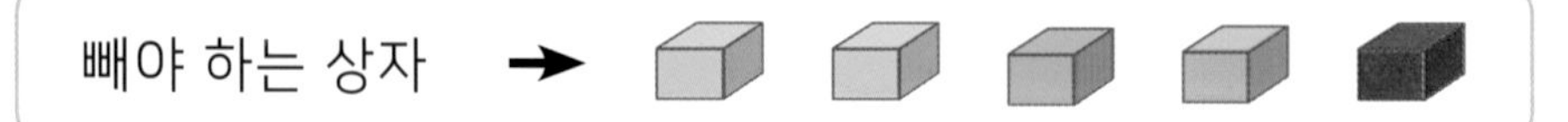

접는 선

05 맨 위에 있는 색종이 순서대로 4장의 색종이를 사용하였습니다. 이때, 순서대로 색종이를 사용하지 않은 것의 기호를 쓰시오.

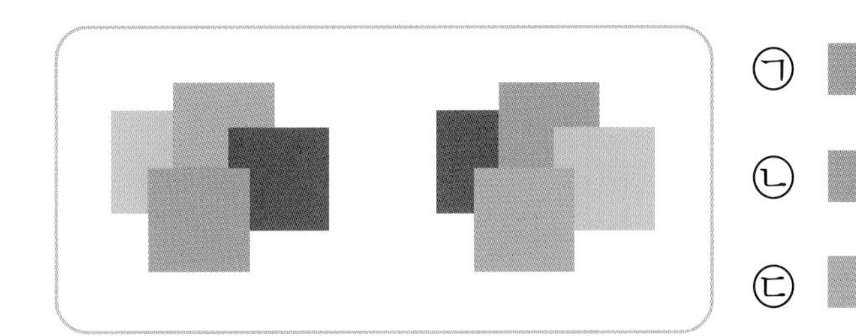

㉠ ㉡ ㉢

유형 1-1
가장 밑에 있는 색종이를 사용하려면 위에 있는 색종이를 모두 사용해야 합니다.

06 모빌이 매달린 줄을 세 번 잘라 아래의 모빌 5개가 떨어지도록 할 때, 잘라야 하는 세 부분에 ×표 하시오. 단, 같은 줄에서는 한 번만 자릅니다.

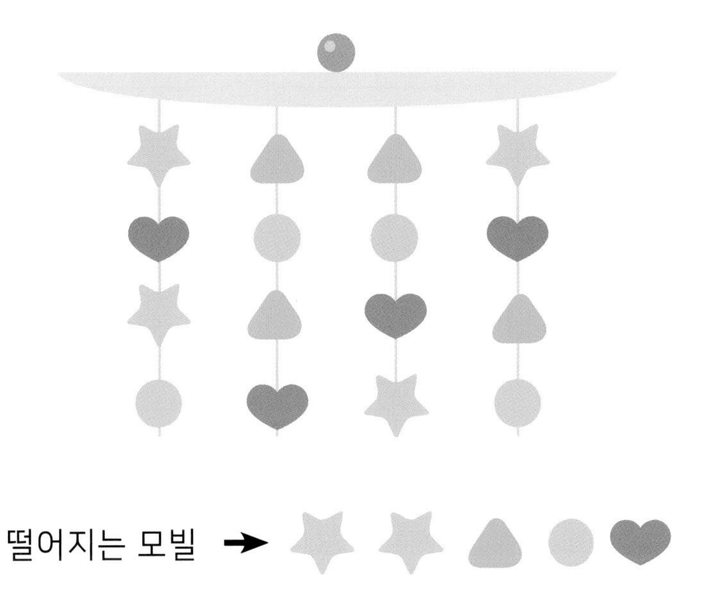

떨어지는 모빌 ➔

유형 1-1
세 부분을 잘라야 하기 때문에 어느 한 줄은 자르지 않아도 됩니다.

접는 선

유형 1-2
표의 왼쪽과 오른쪽에 있는 수는 표의 일부분에서 겹치지 않고 한번씩만 나옵니다.

07 옆으로 붙어 있는 5칸에 서로 다른 한 자리 수를 하나씩 쓴 다음 그 일부를 나타낸 것입니다. 아래 칸에 수를 모두 써넣으시오.

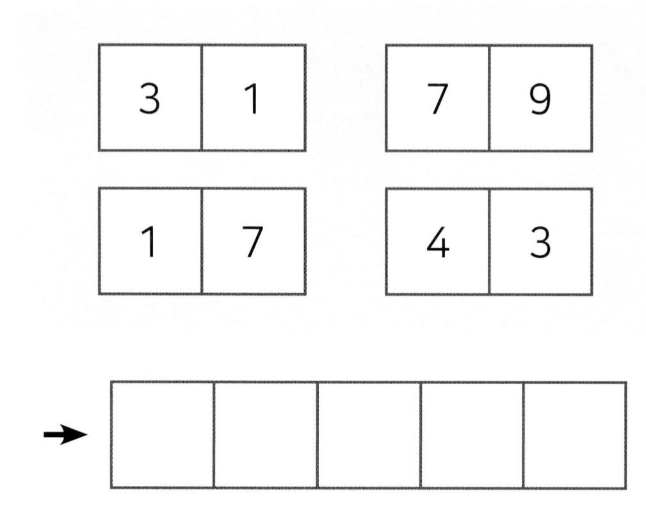

3	1

7	9

1	7

4	3

→

유형 1-2
가장 왼쪽과 오른쪽에 쓰인 글자를 먼저 찾습니다.

08 여섯 글자를 쓴 다음 그 일부를 나타낸 것입니다. 빈칸에 알맞은 글자를 써넣으시오.

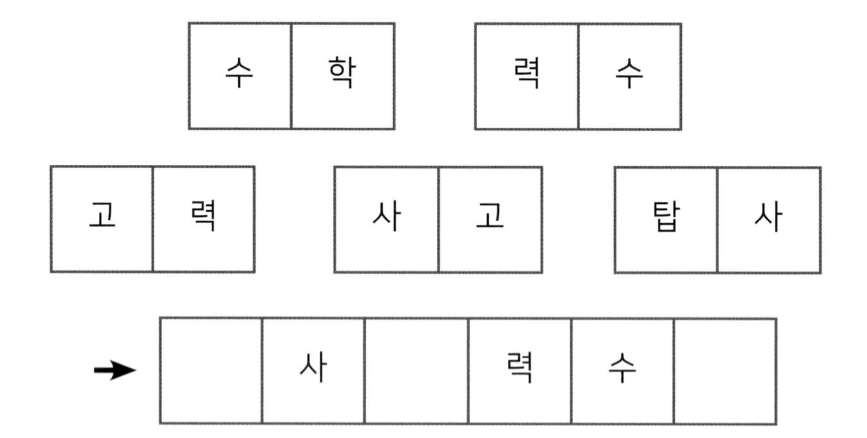

수	학

력	수

고	력

사	고

탑	사

→

	사		력	수	

접는 선

09 다음은 순서대로 놓여 있는 과일의 일부를 나타낸 것입니다. 놓인 순서대로 알맞게 놓은 것에 ○표 하시오.

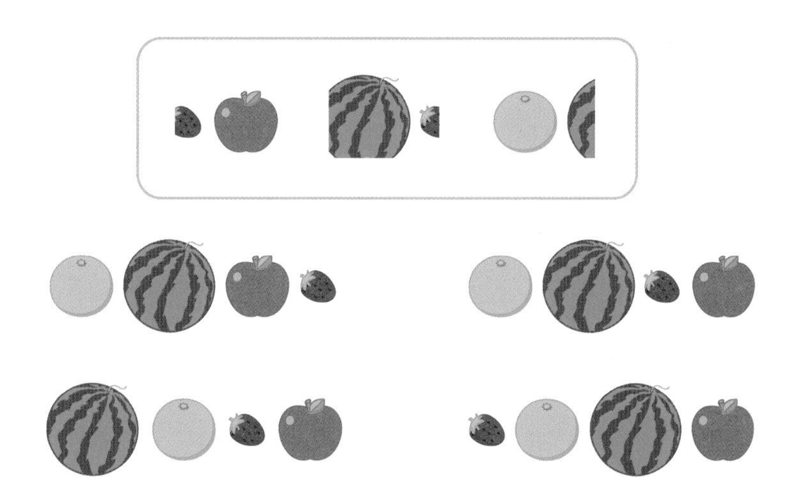

유형 1-2
일부분의 모양에서 양쪽 끝에 있는 과일을 알 수 있습니다.

10 표 안에 들어 있는 모양들의 일부를 나타낸 것입니다. 칸의 빈 곳에 알맞은 모양의 번호를 쓰시오.

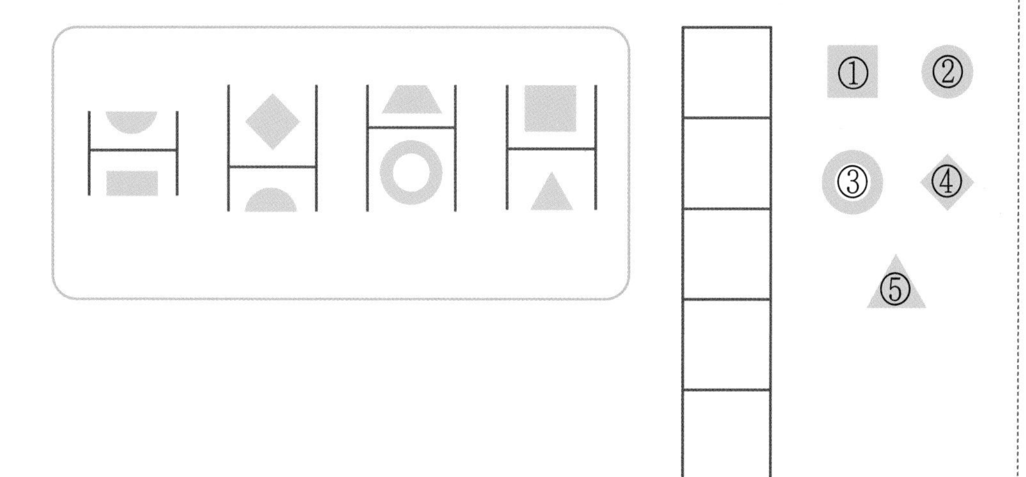

유형 1-2
맨 위와 맨 아래에 들어가는 모양의 번호를 먼저 채워 넣습니다.

접는 선

유형 2-1
생일이 아직 지나지 않았으면 예라고 말해야 합니다.

11 질문에 대한 답변을 보고 두 사람 중 생일이 지난 사람의 얼굴에 ○표 하시오.

유형 2-1
빨간색 우산을 가지고 있으면 빨간색 우산이 없습니까?의 질문에 아니요라고 답해야 합니다.

12 깜이, 냥이, 송연이는 빨간색, 노란색, 초록색 우산 중 서로 다른 우산을 가지고 있습니다. 표를 보고 송연이가 가지고 있는 우산에 ○표 하시오.

	빨간색 우산이야?	초록색 우산이 아니지?
깜이	아니요	예
냥이	예	예

접는 선

13 깜이, 냥이, 주영이는 각각 1, 2, 3중 하나가 쓰인 서로 다른 숫자 카드를 가지고 있습니다. 연역표의 일부를 보고 모든 칸에 ○나 × 를 채우시오.

	1	2	3
깜이	○		
냥이		×	
주영			×

유형 2-2
O가 있는 칸의 가로줄과 세로줄을 X로 채웁니다.

14 깜이, 냥이, 주영이가 좋아하는 군것질거리를 나타낸 설명입니다. 깜이가 좋아하는 군것질거리를 쓰시오.

- 세 사람은 아이스크림, 초콜릿, 사탕 중 서로 다른 하나를 좋아합니다.
- 깜이는 초콜릿을 싫어합니다.
- 냥이는 사탕을 좋아합니다.

	아이스크림	초콜릿	사탕
깜이			
냥이			
주영			

유형 2-2
깜이는 아이스크림이나 사탕을 좋아합니다.

접는 선

유형 2-2
냥이는 바둑을 둘 줄 모르므로 냥이의 취미는 독서와 등산 중 하나입니다.

15 깜이, 냥이, 주영이가 각각 독서, 등산, 바둑 중 서로 다른 취미를 하나씩 가지고 있습니다. 설명을 보고 주영이의 취미를 쓰시오.

- 깜이의 취미는 등산입니다.
- 냥이는 바둑을 둘 줄 모릅니다.

	독서	등산	바둑
깜이			
냥이			
주영			

유형 2-2
희정이는 이씨보다 키가 크기 때문에 이씨가 아닙니다.

16 정수, 희정, 현호의 성은 모두 다르고 각각 이씨, 김씨, 정씨 중 하나입니다. 조건을 보고 현호의 성을 쓰시오.

- 희정이는 성이 이씨인 친구보다 키가 큽니다.
- 정수는 성이 정씨인 친구보다 성이 이씨인 친구와 친합니다.

	이씨	김씨	정씨
정수			
희정			
현호			

접는 선

4-1. 전체와 일부분의 모양 | 01~07

01 표에 각각 서로 다른 수를 넣은 다음 그 일부분을 나타낸 것입니다. 표에 알맞은 수를 채우시오.

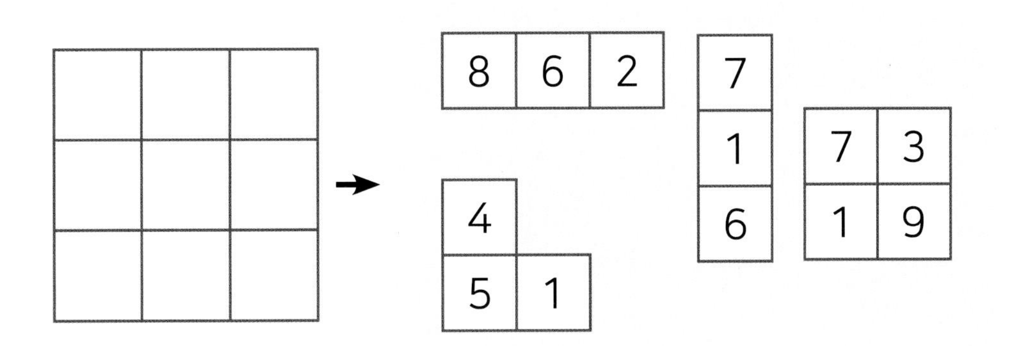

> 유형1
> 8 6 2 나 7 1 6 이 가로나 세로줄의 어디에 들어가야 하는지 살펴봅니다.

02 글자를 넣은 표의 일부분을 보고 표 안에 알맞은 글자를 써넣으시오.

안	녕	하

하	세	요

녕	하
사	합

안	녕
감	사

합	니	다

→

> 유형1
> 윗줄과 아랫줄의 두 줄로 된 글자에서 두 글자씩 겹치는 부분을 살펴봅니다.

접는 선

유형 1-1

표 안에 도미노와 같은 숫자를 찾은 다음 옆이나 위 아래로 이어진 다른 수를 찾습니다.

03 숫자 판 위의 수와 도미노의 점의 개수가 같도록 도미노를 모두 올려놓으려고 합니다. 남는 한 칸의 수를 쓰시오.

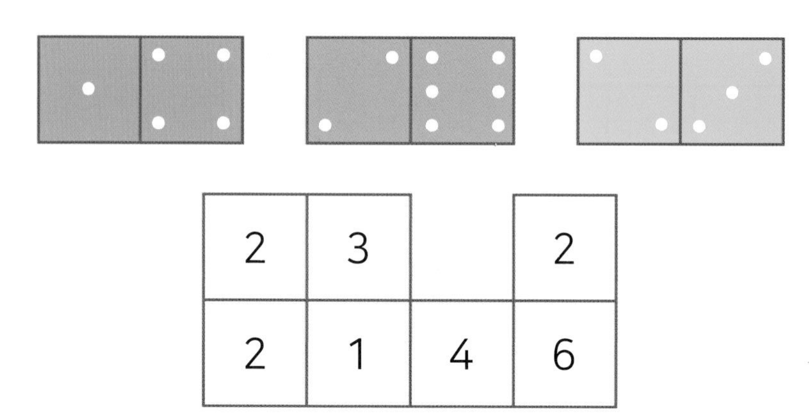

2	3		2
2	1	4	6

유형 1-1

방법1
두 칸에 도미노가 놓이는 경우를 제외해 가면서 찾습니다.

방법2
숫자 판 위에 한 번만 쓰여 있는 숫자에 놓이는 도미노를 먼저 찾습니다.

04 숫자 판 위의 수와 도미노의 점의 개수가 같도록 6개의 도미노를 모두 올릴 수 있습니다. 표 안의 색칠된 칸에 놓이는 도미노를 찾아 ○표 하시오.

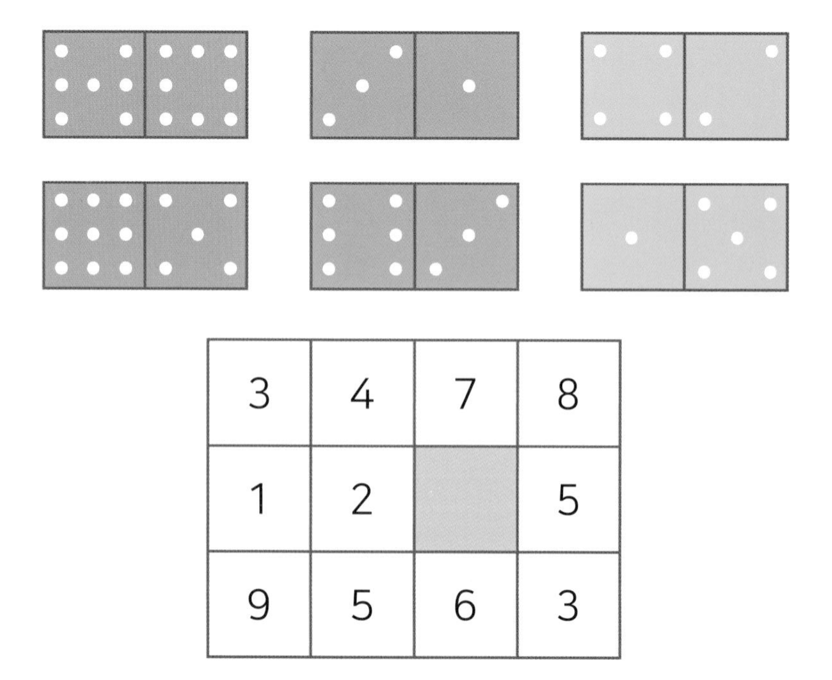

3	4	7	8
1	2		5
9	5	6	3

접는 선

05 왼쪽 모양의 일부분을 나타낸 것에 모두 ○표 하시오.

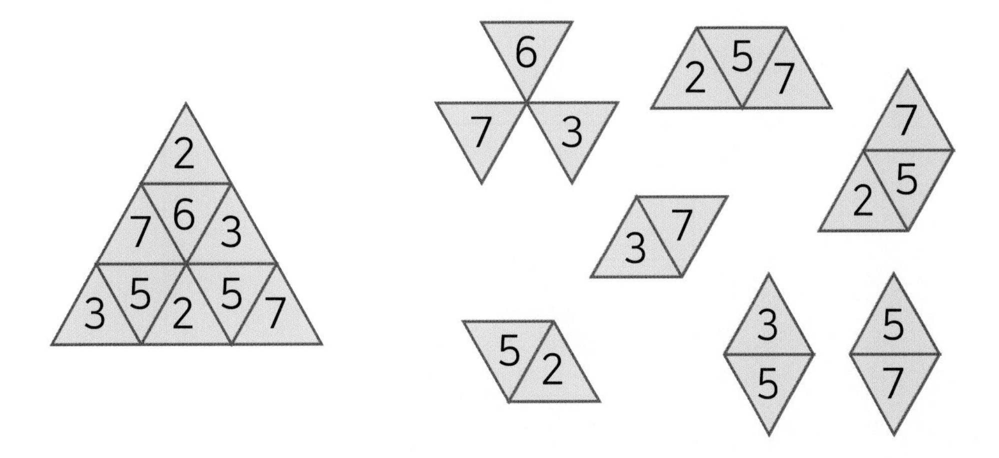

유형 1-1
주변의 수가 같은 경우가 많으므로 주의해서 찾습니다.

06 왼쪽 모양의 일부분을 나타낸 것은 몇 개인지 구하시오.

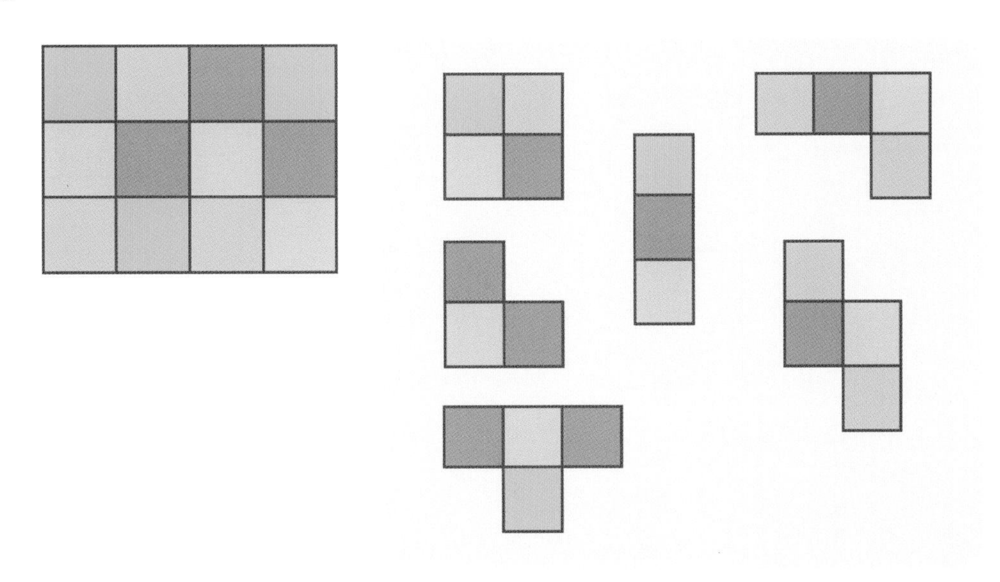

유형 1-1
하나의 색을 기준으로 주변의 색이 같은지 확인해 봅니다.

접는 선

유형 1-2
가와 나의 노란색을 기준으로 색을 돌렸을 때, 같은 색이 되는 것을 찾습니다.

07 그림을 보고 가와 나에 들어가야 하는 것의 번호를 쓰시오.

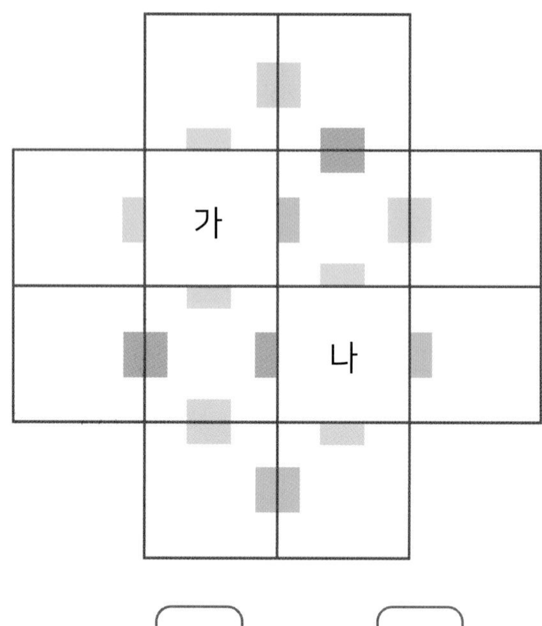

가 : ☐ 나 : ☐

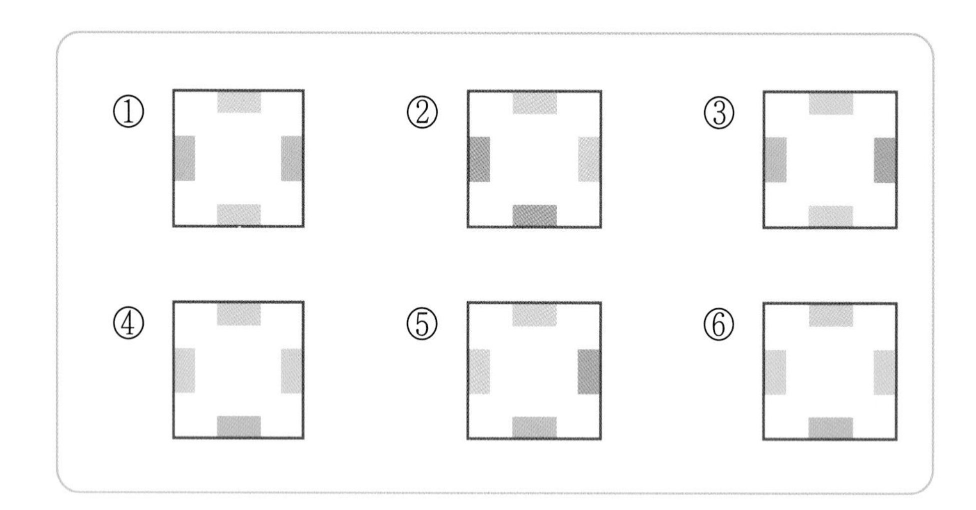

접는 선

08 레이저의 빛이 모든 거울을 거져 화살표 방향으로 나오도록 하려고 합니다. 알맞은 곳에 거울 1개를 더 그리시오.

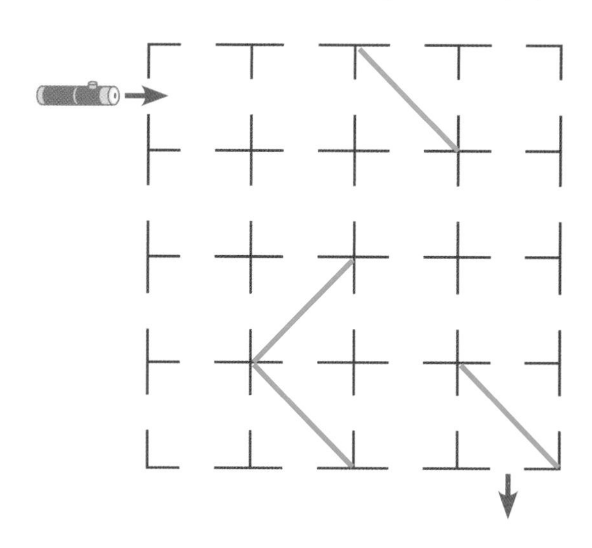

유형2

방법1
레이저의 빛이 직진하다가 더 이상 거울이 없는 곳에서 다음 거울에 이어질 수 있도록 거울을 그립니다.

방법2
시작과 끝 지점에서 동시에 레이저의 빛이 가는 길을 그리고 두 길이 만나는 곳에 거울을 놓습니다.

09 두 레이저의 빛이 모두 같은 색의 화살표 방향으로 빠져나가도록 거울 1개를 더 그리시오.

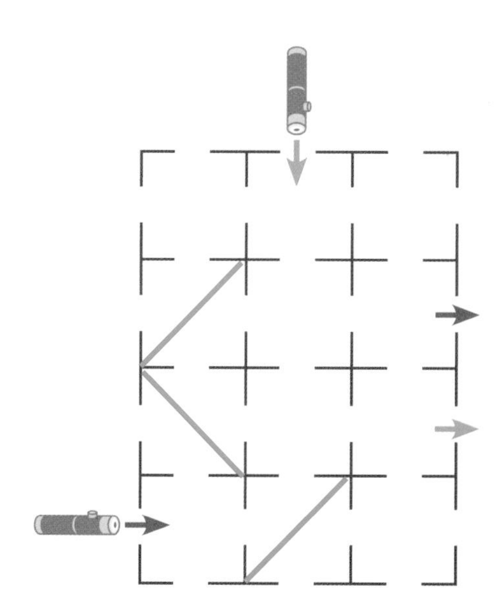

유형2

두 레이저의 빛이 모두 길을 빠져나갈 수 없으므로 거울 1개로 두 개의 레이저의 빛이 가는 길의 방향을 동시에 바꿔야 합니다.

접는 선

유형2-1
도착 지점의 방향으로 한 가지 색의 방향을 알 수 있습니다.

10 같은 색의 칸은 같은 방향으로 움직입니다. 출발 지점에서 도착 지점까지 가는 길을 그리시오.

(1)

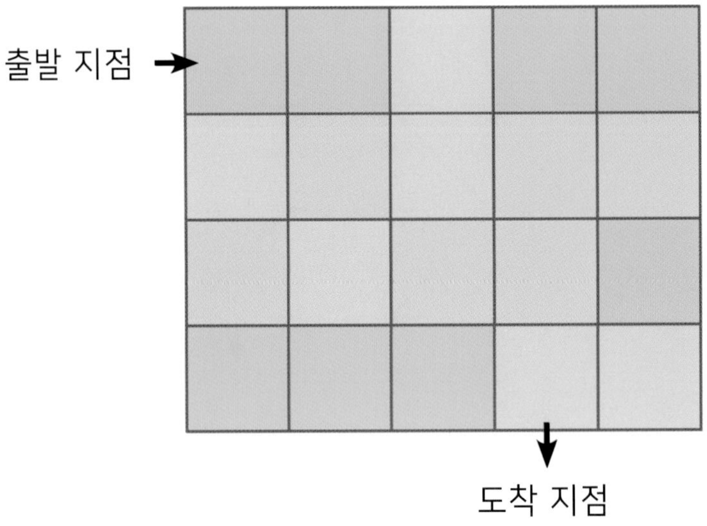

출발 지점

도착 지점

(2)

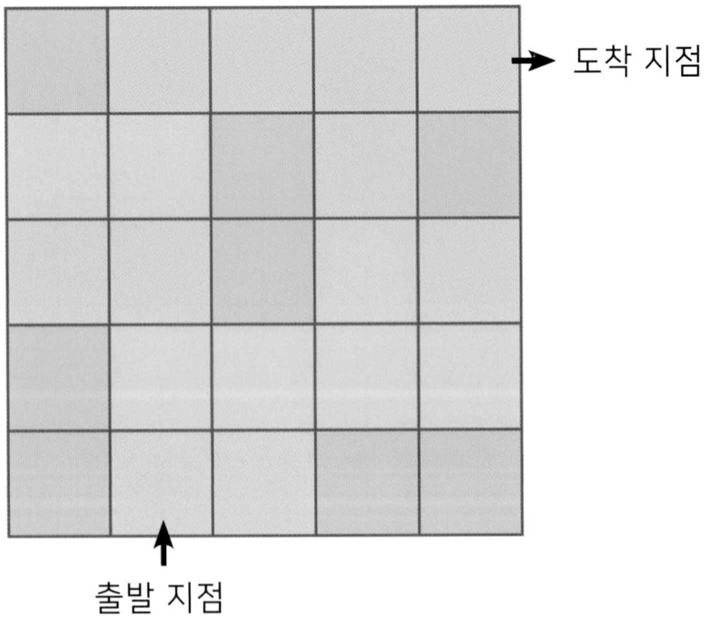

도착 지점

출발 지점

접는 선

11 보기 와 같은 규칙으로 모든 칸에 선을 그리시오.

보기

① 회색 칸은 선이 지나지 않습니다.

② 색칠되지 않은 칸은 가로나 세로로 곧은 선이 지나갑니다.

③ 연두색 칸에서 선의 방향이 바뀝니다.

(1)

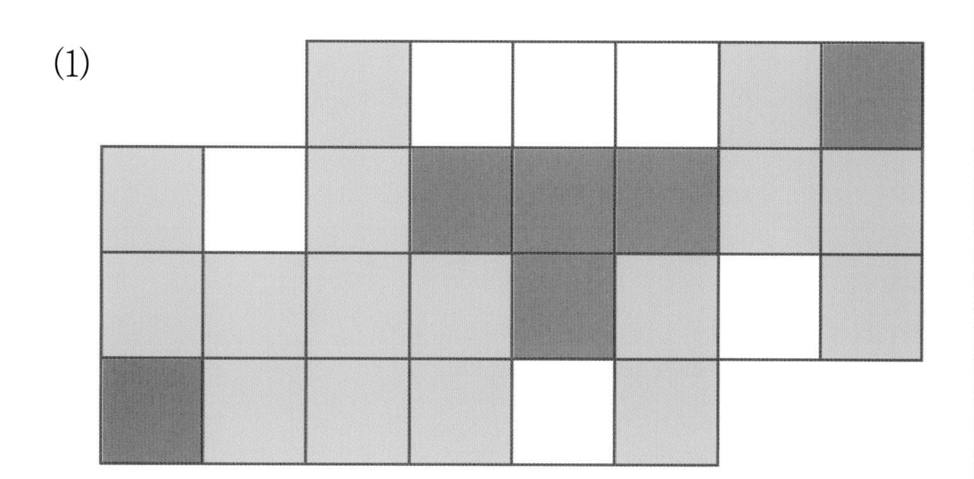

(2)

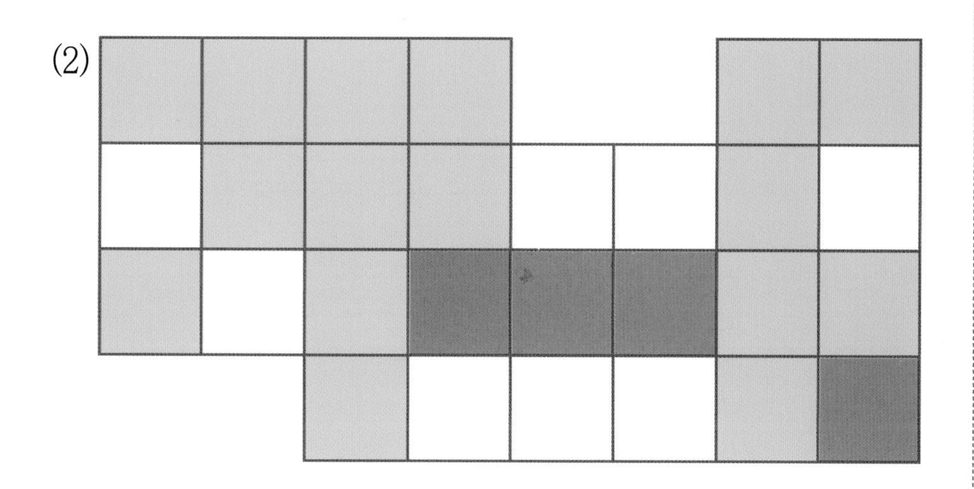

유형 2-2

색칠되지 않은 칸은 가로나 세로로 선이 지나가므로 먼저 색칠되지 않은 칸부터 주변의 연두색 칸과 연결해 둡니다.

접는 선

유형 2-3
큰 숫자부터 먼저 자리를 잡고 생각해 봅니다.

12 보기 의 규칙으로 칸을 나누려고 합니다. 나누는 선을 그리시오.

보기

		3	
	4		
3		2	
			4

① 나눈 부분에 숫자가 하나씩 들어 갑니다.

② 나눈 칸이 숫자의 개수와 같아야 합니다.

(1)

			3
			2
5		4	2

(2)

		4		
		2		
		2	3	
				5

접는 선

예비 활동 가이드
정답 및 풀이

예비 활동 가이드

- 다양한 활동 방법 제시
- 예비 활동을 위한 활동 자료
- 본문의 이해을 돕는 예비 학습

정답 및 풀이

- 상세한 풀이 수록

사고력 수학

천종현수학연구소

예비 활동 가이드

논리적 추론 - 2. 연역표와 논리적 추론

연역표와
논리적 추론

표를 이용하여 문제를 해결할 수 있는 대표적인 유형이 연역표를 활용한 문제입니다. 하나씩 서로 다른 짝이 있는 문제에서 연역표에 ○, X를 써 가면서 문제를 해결할 수 있습니다. ○나 X가 있는 칸을 몇 개만 알 때, 나머지 칸에 ○, X로 채우는 방법이 미리 연습이 되어 있어야 본 교재의 내용 진행에서 문제를 해결하는데 도움이 됩니다.

연역표에 O, X채우기

[보기]와 같이 주어진 모든 칸에 ○ 또는 X표하여 깜이, 냥이, 송연이가 가, 나, 다에 하나씩 짝지어지도록 하시오. (정답 및 해설 31쪽)

[보기]

	가	나	다
깜이	○		
냥이			
송연			X

깜이가 가 칸에 ○표가 되어 있으므로 ○칸과 같은 가로줄과 세로줄의 칸에 모두 X표 합니다.

→

	가	나	다
깜이	○	X	X
냥이	X		
송연	X	○	X

송연이는 나 칸에 ○표 합니다.

→

	가	나	다
깜이	○	X	X
냥이	X	X	○
송연	X	○	X

냥이는 다 칸에 ○표 하고 남은 한 칸은 X표 합니다.

(1)

	가	나	다
깜이			
냥이		○	
송연	X		

(2)

	가	나	다
깜이		X	
냥이			
송연	○		

(3)

	가	나	다
깜이	X		
냥이			○
송연			

(4)

	가	나	다
깜이			○
냥이		X	
송연			

O 맞추기 게임

연역표에 ○ 또는 X표를 채우는 방법을 이용하여 ○ 맞추기 게임을 해볼 수 있습니다.

<게임 방법>

① 두 사람이 각각 가로줄은 가, 나, 다, 세로줄은 1, 2, 3으로 연역표를 그리고 1, 2, 3이 각각 가, 나, 다와
① 한 칸에서 만나도록 ○ 세 개를 그리고 나머지 칸은 모두 X표를 합니다.

	가	나	다
1			
2			
3			

➔

	가	나	다
1	X	○	X
2	○	X	X
3	X	X	○

② 순서를 정하여 번갈아 가면서 상대방의 칸 중 하나가 ○표인지를 물어보고 상대방은 자신의 표를 보고 'Yes' 또는 'No'로 대답합니다.

예) 3과 나가 만나는 칸이 ○야?

칸이 ○인 경우 ➔ Yes.　　　칸이 ○가 아닌 경우 ➔ No.

③ 물어본 정보를 가지고 상대방의 연역표에 ○가 있는 세 칸을 먼저 맞추면 이깁니다. 단, 처음 시작한 사람이 맞출 경우 상대방은 마지막 1번의 기회를 더 줍니다.

④ 익숙해지면 가로줄과 세로줄을 한 칸씩 늘려서 같은 방법으로 게임을 할 수 있습니다.

	가	나	다	라
1				
2				
3				
4				

논리 판단 퍼즐 - 1. 전체와 일부분의 모양

전체와
일부분의
모양

전체와 일부분의 모양을 진행하기에 앞서 활동 자료를 이용하여 문제를 해결해 볼 수 있습니다.

전체와 일부분의 모양

활동자료 1에 있는 활동지로 네모 칸을 가려서 주어진 개수대로 동물이나 과일이 나타나게 해 보는 활동입니다.

<활동 방법>

① 4쪽의 표에 있는 동물과 과일 그림을 잘 관찰합니다.

② 한 칸에 활동자료 하나씩을 골라 칸을 가려서 문제에서 주어진 동물이나 과일의 수만큼만 보이도록 해야 합니다.

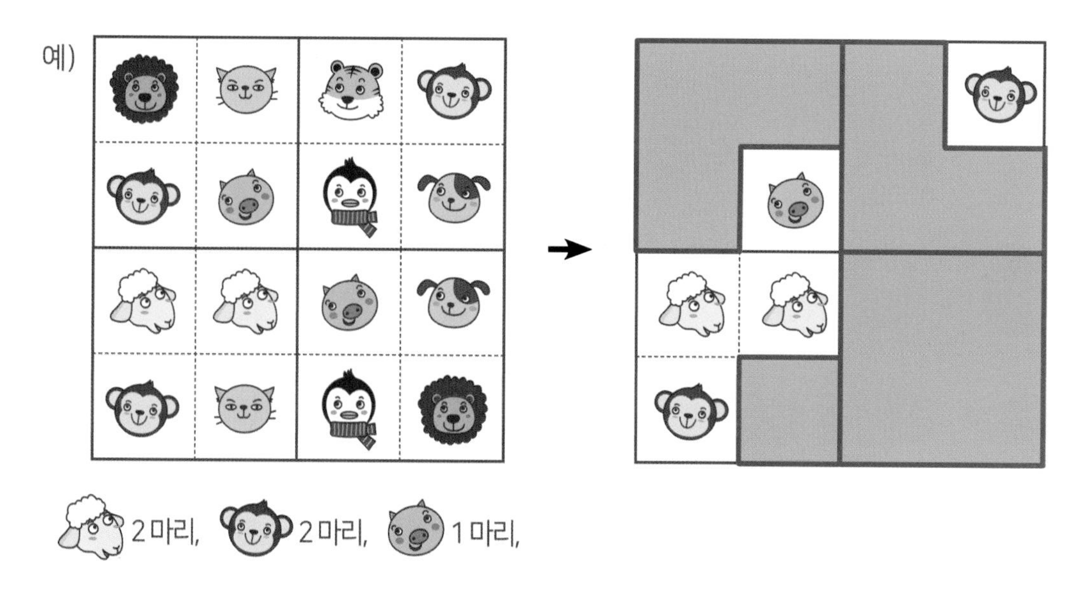

개수대로 만들기

준비물 - 활동 자료 1

(1) 2마리, 2마리

(2) 1마리, 3마리, 1마리

(3) 1마리, 1마리, 2마리

(4) 2마리, 2마리

1마리, 2마리,

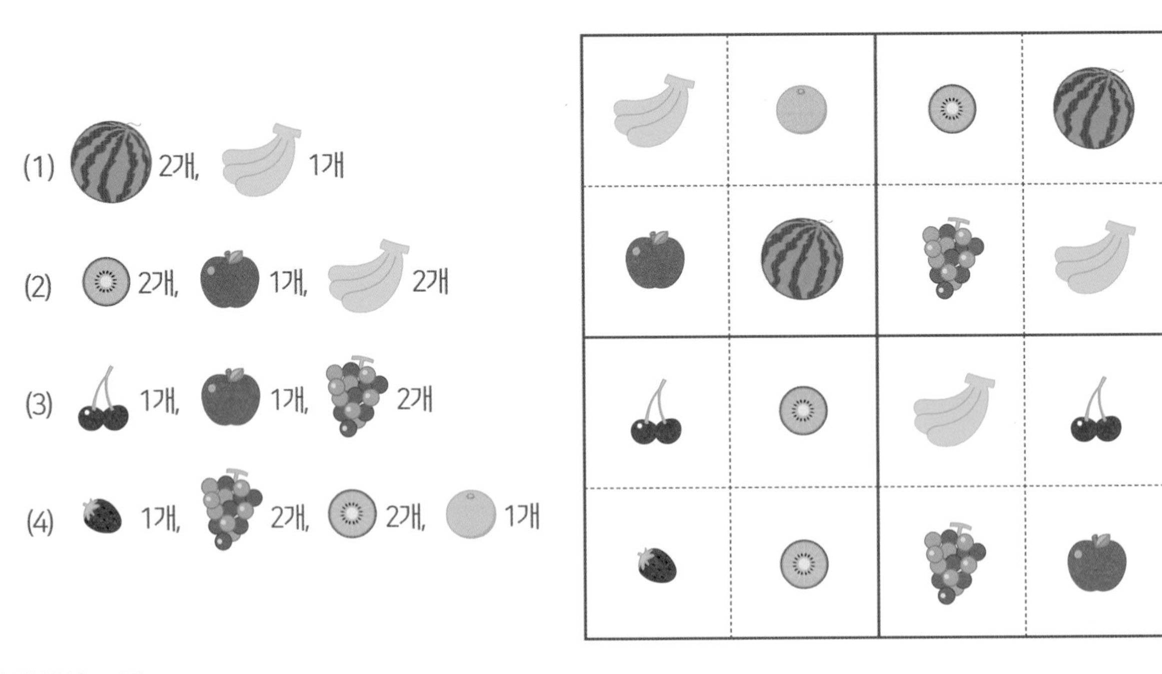

(1) 2개, 1개

(2) 2개, 1개, 2개

(3) 1개, 1개, 2개

(4) 1개, 2개, 2개, 1개

(정답 및 해설 31쪽)

정답

1. 여러 가지 규칙

9쪽

생각열기

글자 이어서 말하기

먼저 시작했을 때와 나중에 시작했을 때 어떻게 해야 게임을 좀 더 쉽게 이길 수 있습니까?

천천히 다음 글자에 집중해서 말한다든지 내 순서에서 말해야 하는 글자의 순서를 미리 외워서 게임을 한다든지 등의 실제로 게임을 해 보면서 다양한 방법이 나올 수 있습니다.

실제로 먼저 게임을 시작하는 사람은 탕-육-수의 글자 순서대로 계속 반복해서 말하면 되고 나중에 말하는 사람은 수-탕-육의 글자 순서대로 계속 반복해서 말하면 됩니다.

10쪽

깜이, 냥이, 주영이, 송연이가 다음과 같이 차례를 정해서 1부터 100까지 수를 순서대로 하나씩 말하고 있습니다. 이때, 깜이와 냥이가 말해야 하는 수를 차례로 3개씩 쓰시오.

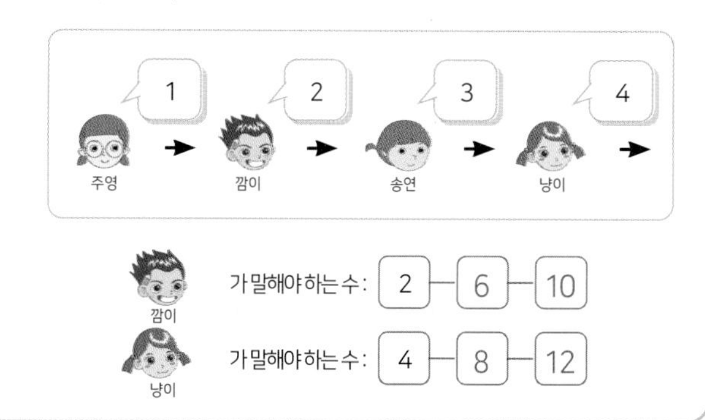

[풀이]

4 다음 번에도 주영, 깜이, 송연, 냥이 순서대로 계속 말해야 하므로 네 사람이 말하는 수를 차례대로 적어 봅니다.

주영 : 1 - 5 - 9 - 13 - 17 - 21 - 25 - 29 …

깜이 : 2 - 6 - 10 - 14 - 18 - 22 - 26 - 30 …

송연 : 3 - 7 - 11 - 15 - 19 - 23 - 27 - 31 …

냥이 : 4 - 8 - 12 - 16 - 20 - 24 - 28 - 32 …

11쪽

탐구주제 1 전광판과 반전 규칙

불이 켜진 칸의 개수를 순서대로 나타내려고 합니다. 규칙을 찾아 □ 안에 알맞은 수를 써넣으시오.

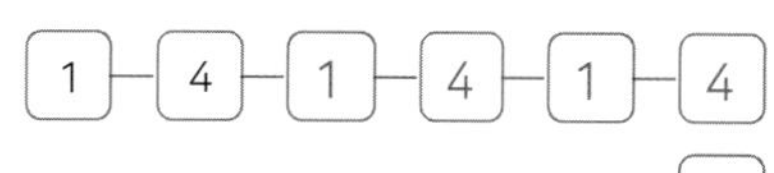

➔ 다음 불이 켜지는 칸의 개수 : 1

다음 모양을 색칠하여 그리시오.

➔

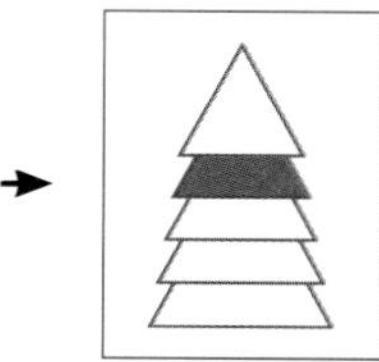

[풀이]

다음 모양은 위에서부터 두 번째 칸 한 칸에만 불이 켜져야 합니다.

12쪽

반전규칙이 되도록 빈 곳을 알맞게 색칠해 보시오.

(1)

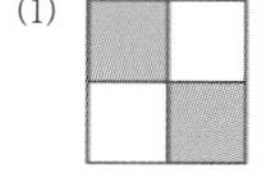
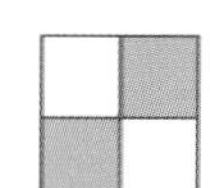
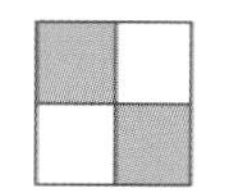
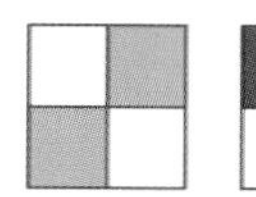
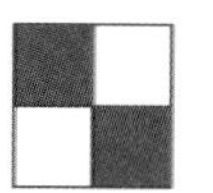

(2)

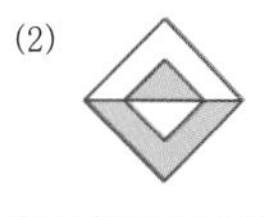
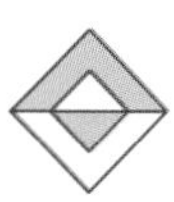
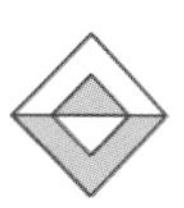
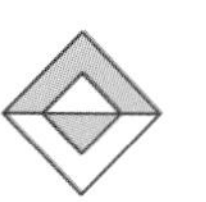

모양이 반복되면서 색이 반전인 이중규칙을 만들었습니다. □ 안에 알맞은 모양을 그리시오.

(1)

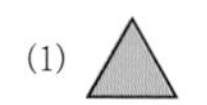
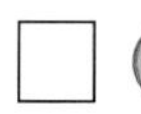
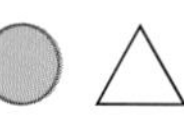
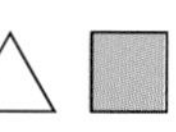
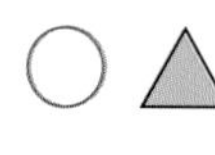
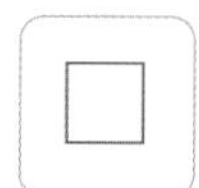

(2)

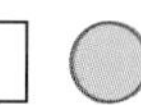
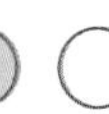
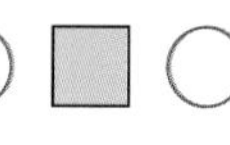

[풀이]

(1) 세모, 네모, 동그라미 모양이 반복되면서 반전이 되므로 빈 곳에는 색칠되지 않은 네모 모양이 놓입니다.

(2) 동그라미, 동그라미, 네모 모양이 반복되면서 반전이 되므로 빈 곳에는 색칠된 동그라미 모양이 놓입니다.

정답

13쪽

탐구 유형 1-1 **반전 규칙 찾기**

[정답] ㉡

[풀이]
보기와 ㉡은 원래 모양과 모든 칸의 색을 반전한 모양이 반복되고 있고 ㉠은 모든 칸이 아닌 한 칸만 색칠된 두 가지 모양이 반복되고 있습니다.

01
[정답]
(1)
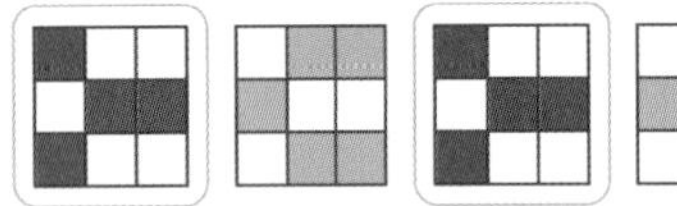
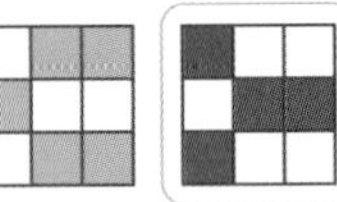
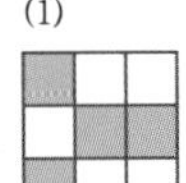
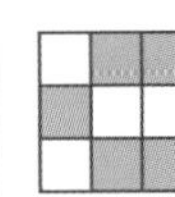
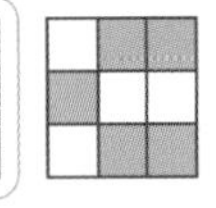
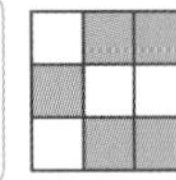

(2)
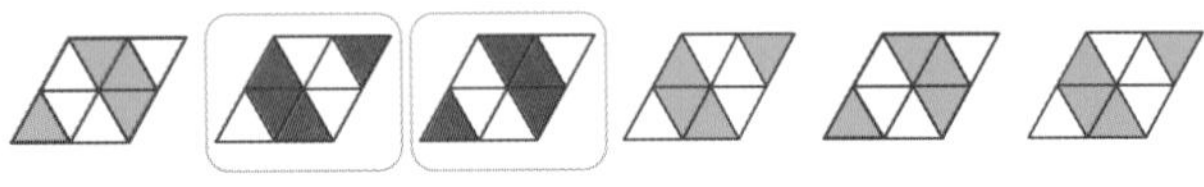
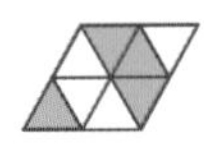

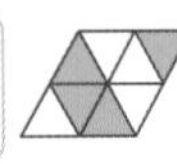
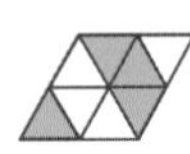
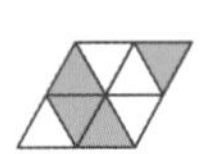

14쪽

탐구 유형 1-2 **불 켜진 전구**

[정답] (1) 4개
(2) 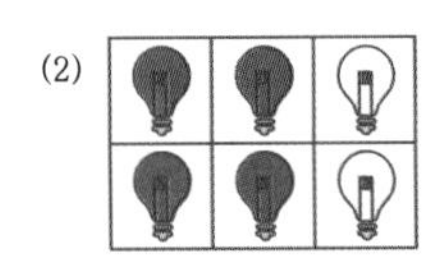

[풀이]
옆으로 한 칸 이동하면서 켜졌다가 꺼졌다를 반복하고 나머지 칸은 반대로 꺼졌다가 켜졌다를 반복하는 규칙입니다.

01
[정답] 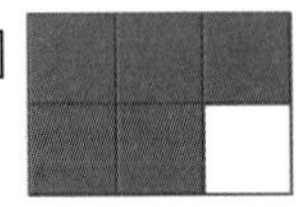

[풀이]
번호 순서대로 이동하면서 주황색, 흰색으로 바뀌기를 반복하고 나머지 칸은 반대로 흰색, 주황색으로 바뀌기를 반복합니다.

1	3	5
2	4	6

15쪽

02
[정답] 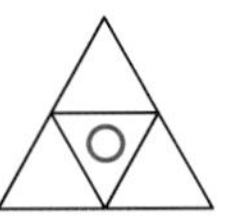

[풀이]
네모, 동그라미, 동그라미 모양이 반복되면서 가운데 한 칸 바깥쪽 세 칸에 반복되면서 나타납니다.

03
[정답] 

[풀이]
3칸, 6칸씩 불이 켜지면서 불이 켜지거나 꺼진 창문의 개수가 적은 3칸이 한 줄씩 아래로 내려옵니다. 단, 가장 아랫줄의 다음엔 맨 윗줄로 옮겨집니다.

16쪽

탐구 유형 1-3 **바둑돌의 규칙**

[정답] (1) 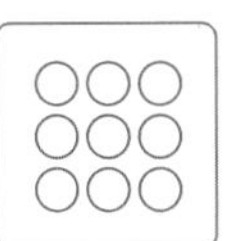 (2) 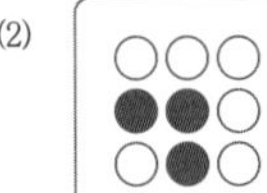

[풀이]
같은 자리의 흰색과 검은색 바둑돌이 한 번씩 바뀌면서 가로와 세로로 흰색이나 검은색 바둑돌이 한 줄씩 늘어납니다.

01
[정답] 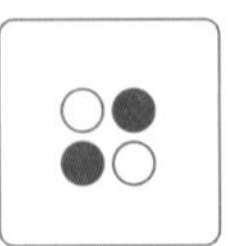

[풀이]
흰색, 검은색 바둑돌이 번갈아 나타나면서 가로, 세로 한 줄씩 늘어나는 규칙으로 위치가 바뀝니다.

17쪽

탐구주제 2 수로 나타낸 규칙

빵이 늘어나는 개수를 세어 빈칸에 알맞은 수를 써넣으시오.

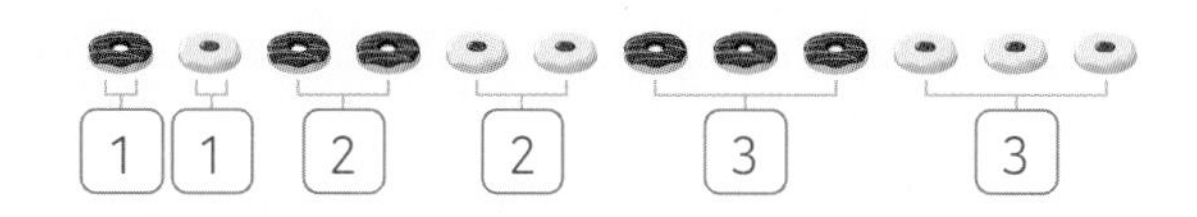

규칙을 찾아 맞는 빵에 ○표를 하고 □ 안에 알맞은 수를 써넣으시오.

➜ 다음 진열할 빵은 ()이고 4 개를 놓아야 합니다.

과자가 놓인 규칙을 찾아 맞는 과자에 ○표를 하고 □ 안에 알맞은 수를 써넣으시오.

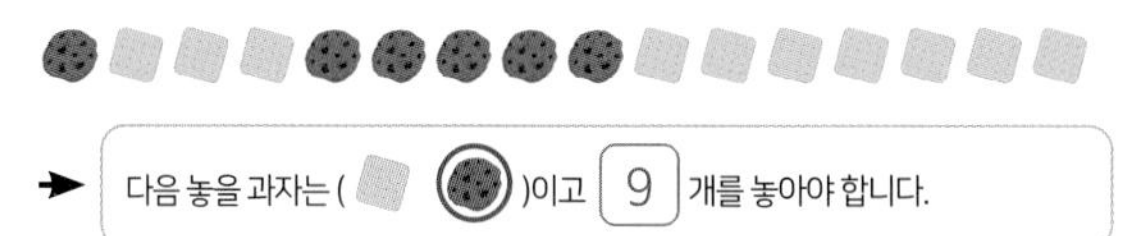

➜ 다음 놓을 과자는 ()이고 9 개를 놓아야 합니다.

18쪽

수가 나열된 규칙을 보고 □ 안에 알맞은 수를 써넣으시오.

(1) 1, 4, 7, 10, 13, 16, 19, 22, 25, …
수가 3씩 늘어납니다.
(2) 54, 50, 46, 42, 38, 34, 30, 26, 22, …
수가 4씩 줄어듭니다.
(3) 1, 3, 3, 5, 5, 5, 7, 7, 7, 7, 9, 9, 9, 9, 9 …
홀수가 차례대로 1개, 2개, 3개, 4개…씩 나열됩니다.
(4) 1, 3, 6, 8, 11, 13, 16, 18, 21, 23, …
수가 2, 3씩의 순서로 계속 반복해서 늘어납니다.
(5) 4, 5, 7, 10, 11, 13, 16, 17, 19, 22, …
수가 1, 2, 3씩의 순서로 계속 반복해서 늘어납니다.
(6) 1, 3, 7, 8, 10, 14, 15, 17, 21, 22, 24, 28 …
수가 2, 4, 1씩의 순서로 계속 반복해서 늘어납니다.
(7) 30, 29, 28, 26, 25, 24, 22, 21, 20, 18, …
수가 1, 1, 2씩의 순서로 계속 반복해서 줄어듭니다.
(8) 1, 4, 2, 5, 3, 6, 4, 7, 5, 8, 6, 9, …
수가 3 늘어나고 2가 줄어드는 순서로 계속 나열됩니다.
(9) 2, 3, 5, 8, 12, 17, 23, 30, 38, 47, …
수가 1, 2, 3, 4, 5…의 순서로 계속 늘어납니다.
(10) 50, 40, 31, 23, 16, 10, 5, 1
수가 10, 9, 8, 7, 6 …의 순서로 계속 줄어듭니다.

19쪽

탐구 유형 2-1 모양의 개수

[정답] (1) 1 — 3 — 6 — 10 — 15 — 21 …
(2) 55

[풀이]
1부터 시작하여 2, 3, 4, 5, 6…. 씩 수가 계속 늘어나는 규칙입니다. 10번째까지 차례대로 나열하면 1-3-6-10-15-21-28-36-45-55입니다.

연습 01

[정답] 15

[풀이]
1부터 2, 1씩의 순서로 계속 반복해서 개수가 늘어납니다. 10번째까지 차례대로 나열하면 1-3-4-6-7-9-10-12-13-15입니다.

20쪽

연습 02

[정답] 25

[풀이]
개수가 늘어나는 순서를 수로 나타내면 2-4-6-9-12-16-20이므로 2, 2, 3, 3, 4, 4씩 수가 늘어납니다. 따라서 다음 번에 놓이는 블록의 개수는 마지막 20개에서 5개가 늘어난 25개입니다.

연습 03

[정답] 14

[풀이]
개수가 늘어나는 순서를 수로 나타내면 1-2-4-5-7-8-10이므로 1, 2의 순서로 계속 수가 늘어납니다. 10번째까지 수를 나열하면 1-2-4-5-7-8-10-11-13-14입니다.

21쪽

탐구 유형 2-2 **두 색깔의 개수**

[정답] 두 색깔의 개수의 차 : 2 — 4 — 6 — 8 …

➔ 50번째에서 ■색깔은 ■색깔보다 100 개 더 많습니다.

[풀이]
두 색깔의 개수의 차이가 2-4-6-8….의 순서로 계속 순서의 두 배만큼 차이가 납니다. 따라서 50번째에서 초록색 ■는 파란색 ■보다 50의 두 배인 100개가 더 많습니다.

01

[정답] 21개

[풀이]
개수의 차를 순서대로 나열하면 2, 3, 4, 5…. 이므로 순서의 1개씩만큼 흰색 바둑돌이 많습니다. 따라서 20번째에는 흰색 바둑돌이 검은색 바둑돌보다 21개 더 많게 됩니다.

22쪽

탐구 유형 2-3 **수 배열표의 규칙**

[정답] (1) 4

(2) 4 — 8 — 12 — 16 — 20 — 24 — 28

[풀이]
표에서 규칙적으로 수를 써 나가면 4에서 오른쪽으로 한 칸 움직일 때마다 수가 4씩 커집니다.

01

[정답] 21

[풀이]
수를 모두 써 나가면 아래로 한 칸을 내려갈 때마다 수가 5씩 커집니다. 따라서 색칠된 칸의 수는 1에서부터 한 칸씩 아래로 수를 써 나가면 1-6-11-16-21에서 21이 됩니다.

23쪽

02

[정답] 37

[풀이]
수를 모두 써 나가면 아래로 한 칸을 내려갈 때마다 수가 8씩 커집니다. 따라서 색칠된 칸의 수는 5에서부터 한 칸씩 아래로 수를 써 나가면 5-13-21-29-37에서 37이 됩니다.

03

[정답] 48

[풀이]
수를 모두 써 나가면 한 칸을 오른쪽으로 갈 때마다 2씩, 아래로 한 칸 내려갈 때마다 수가 12씩 커집니다. 따라서 색칠된 칸의 수는 12에서부터 한 칸씩 아래로 수를 써 나가면 12-24-36-48에서 48이 됩니다.

24쪽

01

[정답]

☆	☆	☆
♡	☆	☆

[풀이]
세 가지 규칙이 동시에 반복됩니다.
1. ★과 ♥의 개수가 1개, 5개로 반복해서 달라집니다.
2. 색이 반전됩니다.
3. 개수가 적은 모양이 다음 순서대로 칸을 이동합니다.

따라서 빈 곳의 모양은 ☆이 5개, ♡이 1개이고 4번 칸의 위치에 ♡ 모양이 있어야 합니다.

1	2	3
4	5	6

02

[정답] 12개

[풀이]
규칙적으로 그려 보면 6번째 모양은 다음과 같습니다. 검은색 바둑돌의 개수는 6+4+2=12(개)입니다.

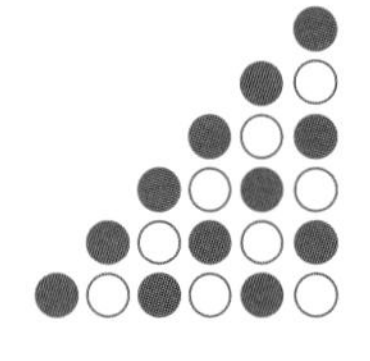

25쪽

03

[정답] 32

[풀이]

한 칸씩 아래로 내려갈 때마다 수가 7씩 커집니다. 한 칸씩 찾아 보면 39는 4가 있는 칸에서 7씩 더해지면 나오게 되고 위에 있는 수는 32입니다.

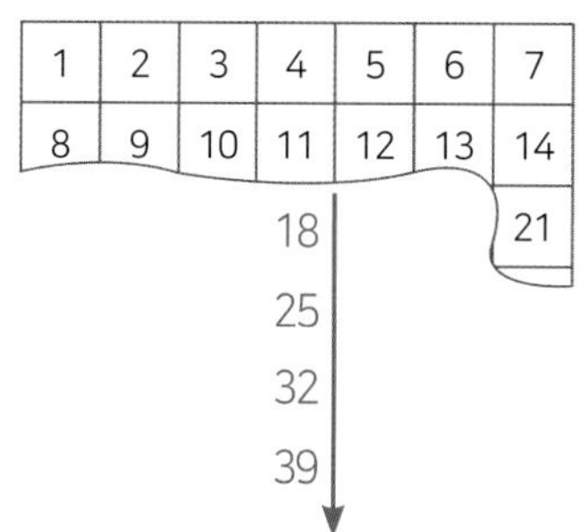

[다른 풀이]

한 칸을 내려갈 때마다 7씩 커지므로 39 위에 있는 수는 39보다 7이 작은 32가 됩니다.

04

[정답] 10개

[풀이]

첫 번째 줄부터 순서대로 전체 칸의 개수와 색칠된 칸의 개수를 세어 봅니다.

전체 칸의 개수 : 1-3-5-7-9…

색칠된 칸의 개수 : 1-1-3-3-5-5…

따라서 10번째 줄에서의 전체 칸의 개수는 19개이고 색칠된 칸의 개수는 9개이므로 색칠되지 않은 칸의 개수는 19-9=10(개)입니다.

[다른 풀이]

줄별로 색칠되지 않는 세모의 개수는

0-2-2-4-4-6-6…으로

짝수 번째에 색칠되지 않은 세모의 개수는 가로줄 순서와 같습니다. 따라서, 10번째 줄의 색칠되지 않는 세모는 10개입니다.

2. 약속과 규칙

27쪽

생각열기

자동차 번호판에 숨겨진 약속

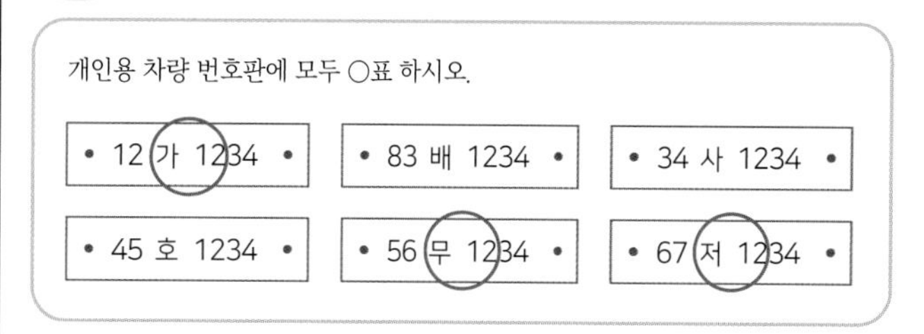

28쪽

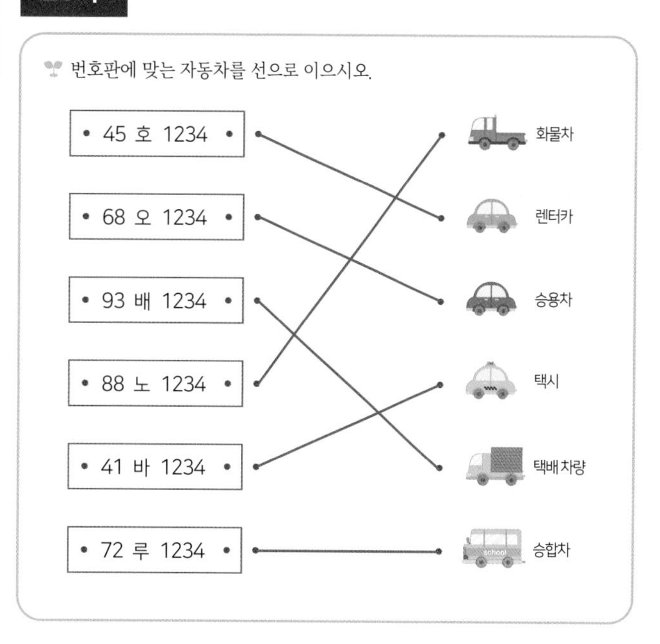

29쪽

탐구주제 1 새로운 연산 기호

규칙을 찾아 □ 안에 알맞은 수를 써넣으시오.

(1) 19 ◇ 9 = 10　　(2) 8 ◇ 3 = 5

(3) 6 ◆ 8 = 14　　(4) 41 ◆ 8 = 49

(5) 84 ◇ 2 = 82　　(6) 35 ◆ 5 = 40

[풀이]

◆은 두 수를 더하고 ◇은 두 수를 빼는 기호로 사용합니다.

규칙을 찾아내자 또 다른 문제들이 나타났습니다. □ 안에 알맞은 수를 써넣으시오.

(1) 11 ◇ 5 = 6　　(2) 12 ◇ 4 ◆ 71 = 79

(3) 3 ◆ 14 = 17　　(4) 16 ◆ 3 ◇ 12 = 7

(5) 28 ◇ 5 = 23　　(6) 38 ◇ 31 ◇ 6 = 1

30쪽

★ 모양은 두 수를 어떻게 계산한 것인지 설명해 보시오.

두 수를 더한 다음 2를 다시 더합니다.

규칙에 맞게 □ 안에 알맞은 수를 써넣으시오.

(1) 4 ★ 9 = 15

(2) 45 ★ 5 = 52

(3) 6 ★ 71 = 79

두 모양의 규칙을 찾아 □ 안에 알맞은 수를 써넣으시오.

9 ♠ 9 = 13	3 ♣ 5 = 1
12 ♠ 8 = 15	9 ♣ 3 = 5
25 ♠ 5 = 25	16 ♣ 6 = 9

(1) 5 ♠ 5 = 5　　(2) 2 ♣ 9 = 6

[풀이]

노란색 ♠는 두 수를 더한 다음 5를 뺀 규칙이고 보라색 ♣는 두 수의 차를 구한 다음 1을 뺀 규칙입니다. 따라서, (1) 5♠5=5+5-5=5, (2) 2♣9에서 2와 9의 차가 7이므로 7-1=6

31쪽

탐구 유형 1-1 기호의 약속 찾기

[정답] (1) 7 ◀ 4 = 10　　(2) 14 ▶ 4 = 6

[풀이]

▶의 규칙은 왼쪽의 수에서 오른쪽의 수를 두 배 해서 뺀 것이고 ◀의 규칙은 왼쪽의 수를 두 배 한 다음 오른쪽의 수를 뺀 것입니다.

1) 7의 두 배에서 4를 빼면 10

2) 14에서 4의 두 배를 빼면 6

01

[정답] (1) 7 ◇ 22 = 27　　(2) 16 ◆ 8 = 15

(3) 45 ◆ 12 = 40　　(4) 4 ◇ 9 = 11

[풀이]

◆는 두 수의 차에서 7을 더하는 규칙이고 ◇는 두 수의 합에서 2를 빼는 규칙입니다.

32쪽

02

[정답] ③

[풀이]

모두 두 수의 차에서 1을 빼는 규칙입니다. 1★7은 두 수의 차인 6에서 1을 뺀 5가 되야 합니다.

03

[정답] (1) 15 $ 5 = 40　　(2) 3 $ 8 = 22

(3) 8 @ 4 = 6　　(4) 1 @ 9 = 5

[풀이]

$는 두 수의 합을 두 배한 규칙이고, @는 두 수의 합의 절반의 값을 구하는 규칙입니다.

33쪽

탐구주제

2 모양과 수를 바꾸는 방망이

도깨비 방망이에 닿은 모양이 어떻게 바뀌었는지 설명해 보시오.

두 모양이 겹쳐 있는데 바깥쪽의 색칠되지 않은 모양은 그대로 있고 안쪽의 색칠된 모양이 바깥쪽으로 커진 모양이 됩니다.

도깨비 방망이에 닿은 모양을 그리시오.

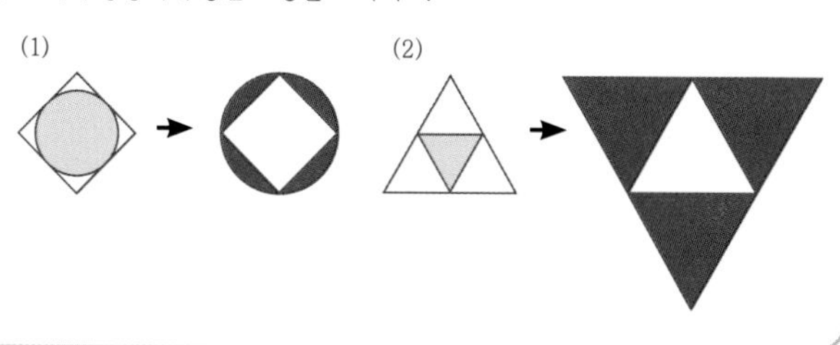

34쪽

도깨비 방망이에 닿은 두 수가 어떻게 바뀌었는지 설명해 보시오.

공에 쓰여 있는 수 2개 중에 큰 수가 십의 자리로, 작은 수가 일의 자리가 되는 두 자리 수로 바뀌었습니다.

 두 수가 도깨비 방망이에 닿았습니다. ●에 알맞은 수를 써넣으시오.

(1) (2)

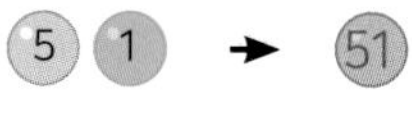

35쪽

탐구 유형 2-1 **수가 변하는 규칙**

[정답]

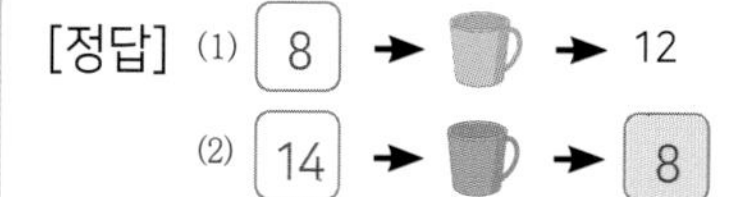

[풀이]

노란색 컵을 지나면 4가 커지고 파란색 컵을 지나면 6이 작아집니다.

연습 01

[정답]

[풀이]

수가 사과를 지나면 두 배 한 수의 1을 더한 수로 바뀝니다.

2)에서 21은 두 배한 수에 1을 더한 수이므로 두 배한 수는 20이고 두 배 하기 전의 수는 10입니다.

36쪽

연습 02

[정답]

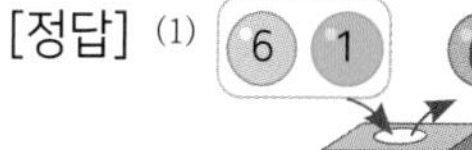

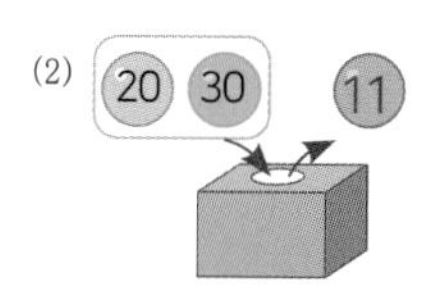

[풀이]

상자 안에 두 수가 들어가면 두 수의 차에서 1을 더한 수가 나옵니다.

연습 03

[정답] 4 → ● → ● → 13

[풀이]

초록색 공은 10이 더해지는 규칙이고 보라색 공은 1이 줄어드는 규칙입니다.

13이 초록색 공을 지나기 전의 수는 3이고 3이 보라색 공을 지나기 전의 수는 4입니다.

37쪽

탐구 유형 2-2 **모양이 변하는 규칙**

[정답] 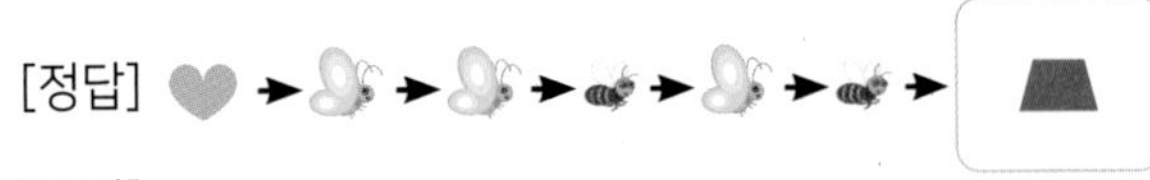

[풀이]
벌은 모양이 그대로 나오고 나비는 모양이 서로 바뀝니다. 이때, 나비를 두 번 거치면 원래의 모양이 됩니다. 따라서 나비를 3마리 거치므로 ♥ 모양이 ▲ 모양으로 바뀝니다.

연습 01

[정답] 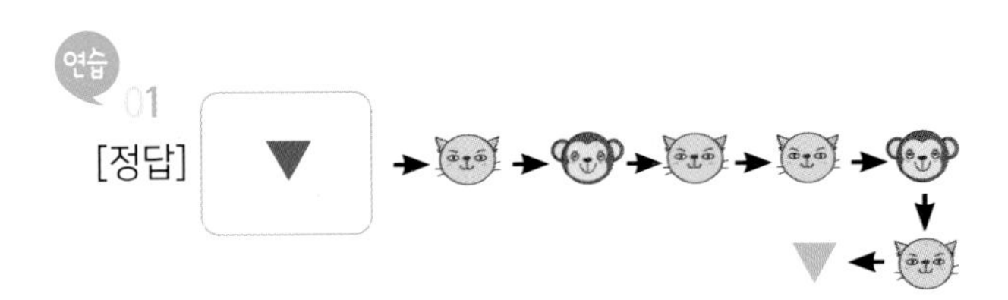

[풀이]
원숭이는 모양이 그대로 나오므로 생각하지 않아도 되고 고양이는 위나 아래로 뒤집힌 모양이 나오는데 두 번 거칠 때마다 원래의 모양이 됩니다. 따라서, 고양이를 4번 거쳤으므로 처음 모양은 마지막 모양과 같은 ▼ 모양이 됩니다.

38쪽

모양 안의 수들의 관계

가로, 세로로 연결된 두 수를 짝지었을 때, 가로와 세로에 있는 수는 어떠한 관계가 있습니까?

세로에 있는 두 수의 차가 가로에 있는 두 수의 합과 같습니다.

규칙대로 마지막 모양의 ◯ 안에 알맞은 수를 써넣으시오.

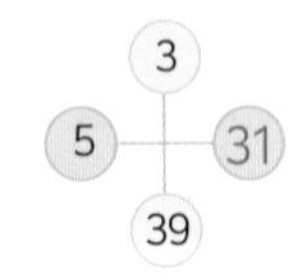

규칙이 모두 같도록 마지막 □ 안에 알맞은 수를 써넣으시오.

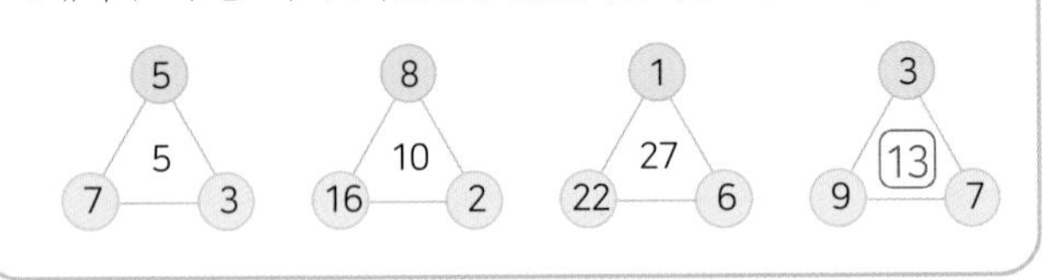

[풀이]
아래의 양 끝에 있는 두 수의 합에서 가장 위에 있는 수를 빼면 가운데 수가 됩니다. 따라서, 마지막 가운데 들어가는 수는 9+7-3=13입니다.

39쪽

탐구 유형 3-1 **겹쳐진 네모 안의 수**

[정답] (1) 두 수의 합에 4를 더하면 가운데 수가 됩니다.

(2) 11

01

[정답] (1) (2)

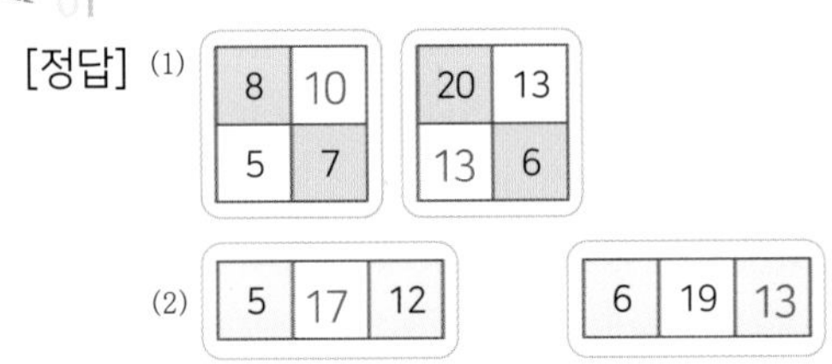

[풀이]
(1) 색칠된 칸의 두 수의 합과 색칠되지 않은 두 수의 합이 같습니다.
(2) 가운데 수는 양쪽 끝의 색칠된 칸에 있는 두 수의 합과 같습니다.

40쪽

02

[정답]

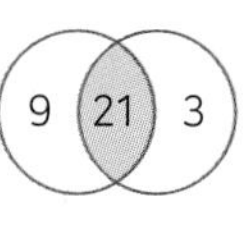

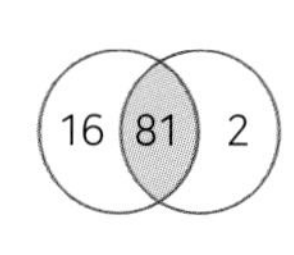

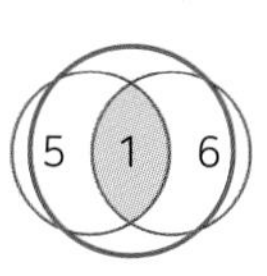

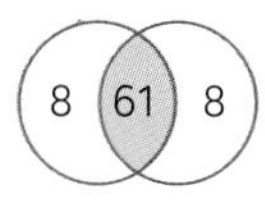

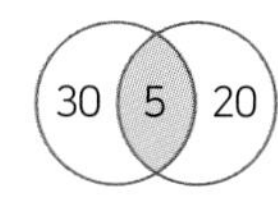

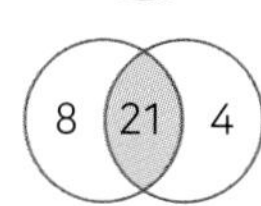

[풀이]

색칠되지 않은 부분의 두 수의 합을 구한 다음 십의 자리와 일의 자리의 숫자를 바꾼 수가 가운데 들어갑니다.

03

[정답]

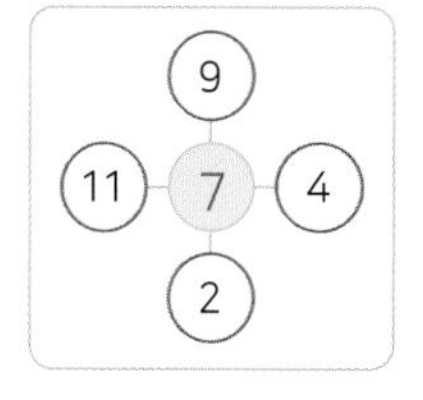

[풀이]

가로나 세로로 있는 두 수의 차가 가운데 들어갑니다.

41쪽

탐구 유형 3-2 **모양 안의 수**

[정답] (1)

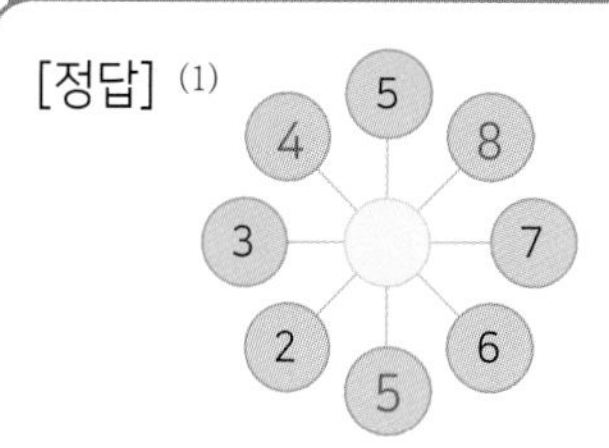

마주 보는 두 수의 합이 모두 10으로 같습니다.

(2) 5, 8, 7, 6, 5, 2, 3, 4, 가운데 11

마주 보는 두 수의 합에 1을 더한 수가 가운데 들어갑니다.

01

[정답]

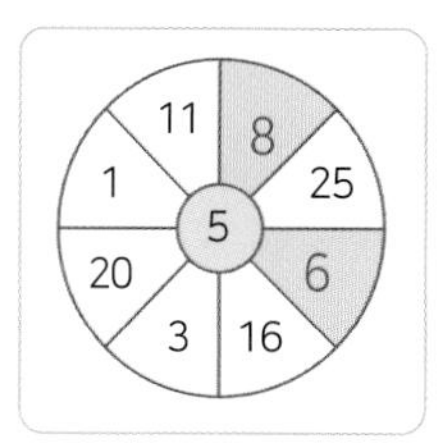

[풀이]

마주 보는 두 수의 차가 모두 가운데 있는 수가 됩니다.

42쪽

01

[정답] 5▲ △ 11▲ = 33

[풀이]

▲는 어떠한 수의 두 배가 나오고 △는 두 수의 합에서 1을 더한 수가 됩니다. 따라서 5▲=10이고, 11▲=22이므로 10△22=10+22+1=33이 됩니다.

02

[정답]

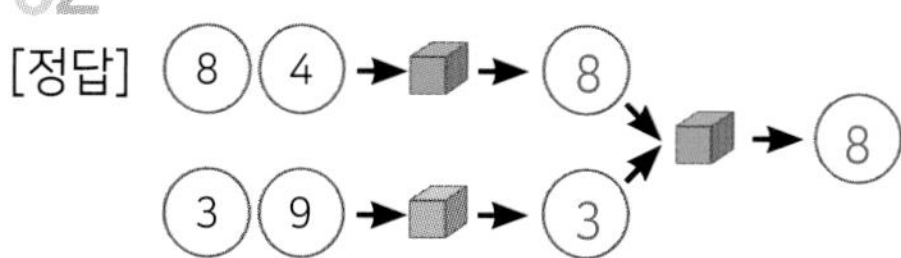

[풀이]

초록색 상자는 두 수 중 큰 수가 나오고 파란색 상자는 두 수중 작은 수가 나옵니다.

43쪽

03

[정답]

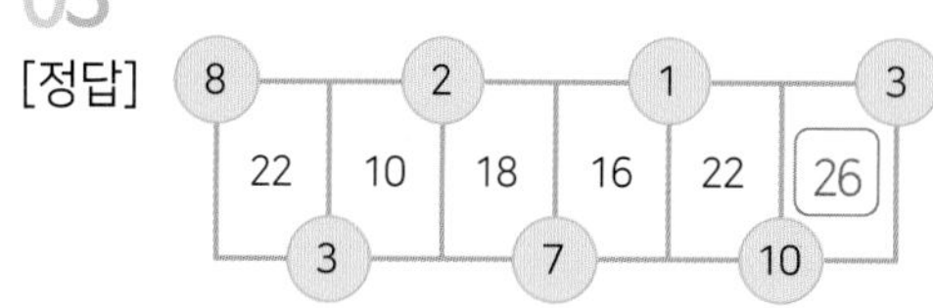

[풀이]

네모 선에 있는 수 두 개를 더한 다음 두 배 한 수가 각각의 네모 안에 들어갑니다. 따라서 마지막 □ 안에는 3+10=13의 두 배인 26이 들어갑니다.

04

[정답]

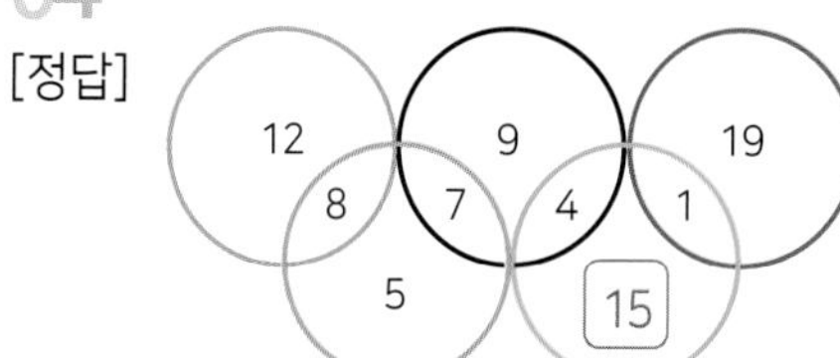

[풀이]

5가지 색의 동그라미 안에 나눠진 부분에 있는 수의 합이 모두 20으로 같습니다. 따라서 초록색 동그라미 안의 □ 안의 수는 4+1+□ =20이므로 15가 됩니다.

3. 논리적 추론

45쪽

동물들의 체육대회

여우의 이야기에서 여우가 들어온 순서의 칸에 "여우" 라고 써넣으시오.

맨앞 [ ]—[여우]—[ ]—[ ] 맨뒤

토끼의 이야기에서 강아지의 들어온 자리에 ○표 하시오.

맨앞 [㉠]—[㉡]—[㉢]—[㉣(○)] 맨뒤

동물들이 들어온 순서대로 이름을 모두 써넣으시오.

맨앞 [원숭이]—[여우]—[토끼]—[강아지] 맨뒤

46쪽

깜이, 냥이, 주영, 송연이가 옆으로 나란히 서 있습니다. 서 있는 순서대로 이름을 쓰시오.

- 송연이는 냥이와 주영이 사이에 서 있습니다.
- 주영이는 조금 뒤에 깜이와 산책을 하려고 합니다.
- 제일 왼쪽에 냥이가 서 있습니다.

[냥이]—[송연]—[주영]—[깜이]

[풀이]
냥이를 제일 왼쪽에 세우면 냥이-송연이-주영이 순서대로 서게 되고 남은 깜이가 제일 오른쪽에 서 있게 됩니다.

47쪽

깜이, 냥이, 주영, 송연이가 같은 건물의 1, 2, 3, 4층에 한 명씩 있습니다. 위층에 있는 사람의 순서대로 이름을 쓰시오.

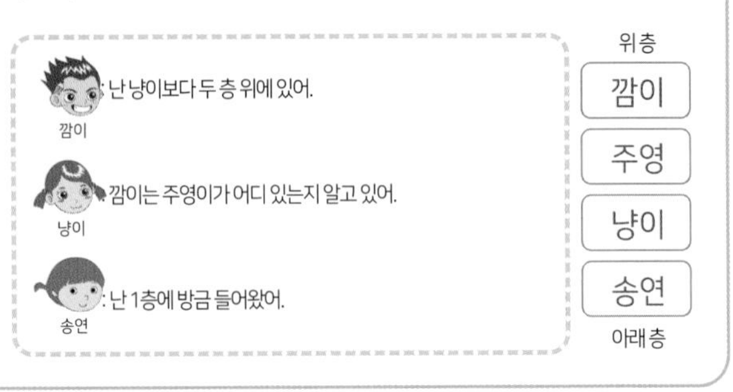

[풀이]
송연이가 1층에 있으면 깜이는 냥이보다 두 층 위에 있는 4층에 있고 냥이는 2층에 있어야 합니다.

사자, 원숭이, 펭귄, 돼지가 서로 만나기로 했어요. 왼쪽부터 네 동물이 먼저 온 순서대로 번호를 쓰시오.

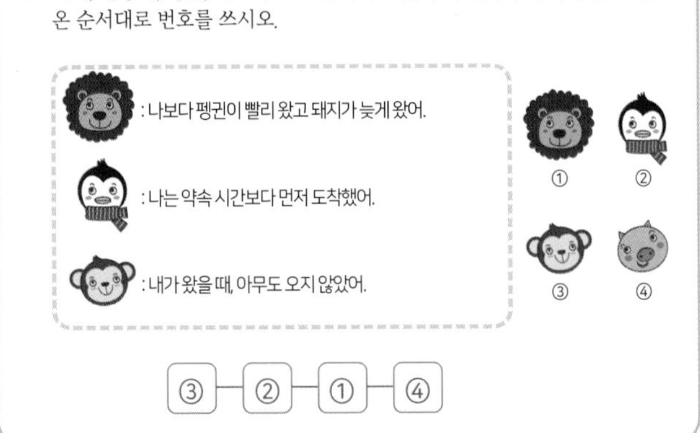

[③]—[②]—[①]—[④]

[풀이]
원숭이가 가장 먼저 왔고 사자는 펭귄보다 늦고 돼지보다 먼저 와야 합니다.

48쪽

수 맞추기 게임

냥이가 19를 말했는데 깜이가 "둘 있어"라고 대답했습니다. 깜이가 생각한 수는 무엇입니까?

91

[풀이]
19가 둘 있다는 이야기는 1과 9가 모두 있다는 이야기인데 둘 다 자리의 숫자가 다르므로 깜이가 생각한 수는 91입니다.

49쪽

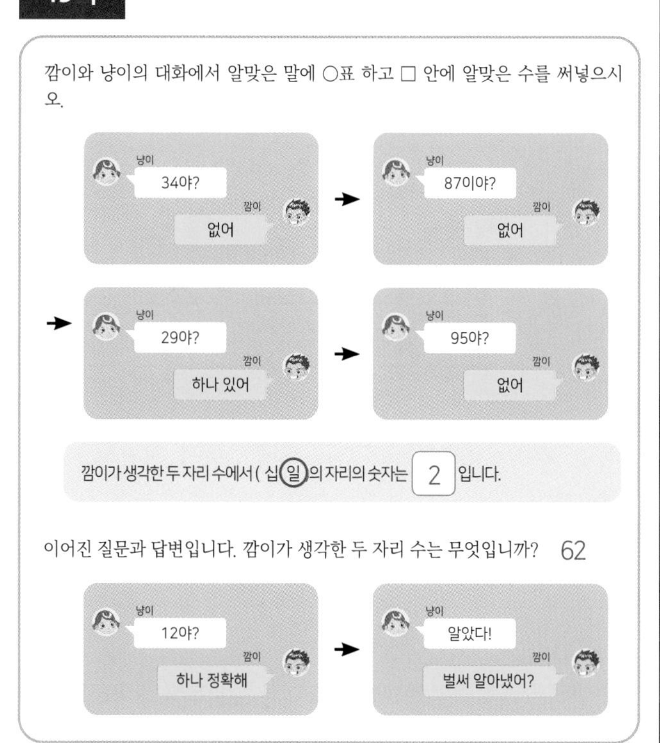

[풀이]

냥이의 질문에서 29에 숫자 하나가 있는데 95는 없다고 했으므로 일의 자리의 숫자가 2이고 1부터 9까지의 숫자 중에 2와 6을 제외한 다른 숫자는 모두 없다고 했으므로 깜이가 생각한 수는 62입니다.

50쪽

[정답] (1) 빨간색과 노란색

(2)

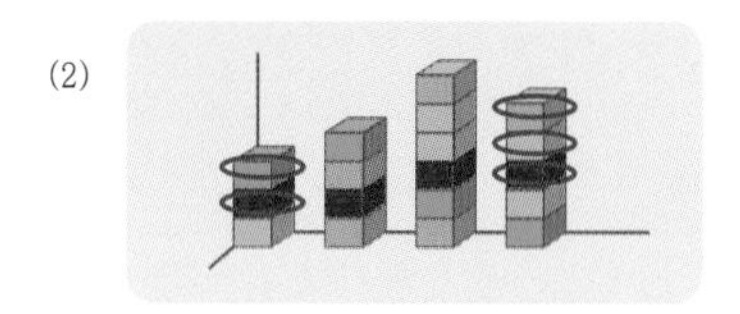

[풀이]

빨간색과 노란색 상자는 위에 있는 상자와 함께 빼야 합니다. 이때, 빼야 하는 빨간색 상자가 2개이므로 첫 번째와 네 번째 줄의 위에서부터 빨간색 상자까지 2개, 3개의 상자를 빼면 됩니다.

연습 03

[정답]

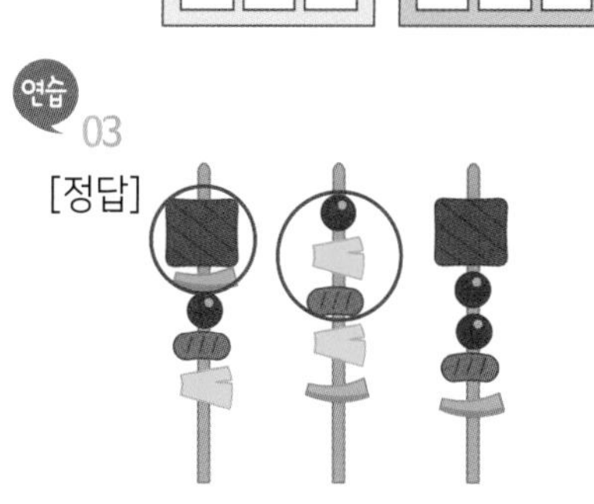

52쪽

탐구 유형 1-2 **글자가 놓인 순서**

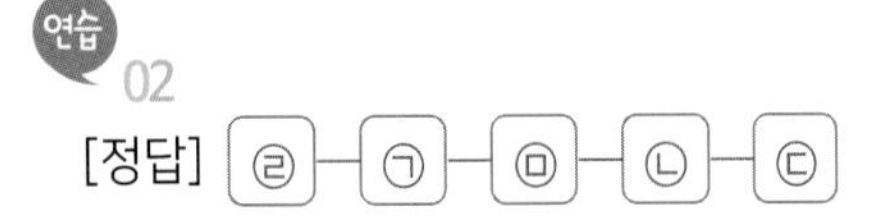

연습 01

[정답] ◉ ◆ ★ ♥

[풀이]

★	◆
●	♥

53쪽

연습 02

[정답] ㉣—㉠—㉤—㉡—㉢

[풀이]

가장 왼쪽에 있는 동물은 여우이고 가장 오른쪽에 있는 동물은 거북이입니다.

연습 03

[정답] 가, 다, 바

54쪽

탐구주제 2 **연역표와 논리적 추론**

표를 그려서 각각 어떤 색을 좋아하는지 알아보려고 합니다. 소영이가 좋아하는 색이 있는 칸에 ○를 그려 넣으시오.

	빨간색	파란색	노란색
소영	╳	○	╳
깜이	○	╳	╳
냥이	╳	╳	○

깜이는 노란색을 좋아한다는 말에 피노키오의 코가 길어졌습니다. 세 사람이 좋아하는 색이 서로 다르도록 깜이가 좋아하는 색이 있는 칸에 ○표 하시오.

세 사람이 좋아하는 색이 모두 다르도록 냥이가 좋아하는 색이 있는 칸에 ○표 하시오.

[풀이]

소영이는 파란색을 좋아하고, 깜이는 노란색을 좋아하는 것이 거짓이므로 빨간색이나 파란색을 좋아하는데 파란색은 이미 소영이가 좋아하는 색이므로 빨간색을 좋아하고, 냥이는 남은 노란색을 좋아합니다.

55쪽

깜이가 읽지 않은 책이 있는 칸에 ×표 하시오.

	동화책	위인전	백과사전
깜이	╳	○	╳
냥이	╳	╳	○
송연	○	╳	╳

송연이가 읽은 책이 있는 칸에 ○표 하시오.

세 사람이 읽은 책이 모두 다르도록 읽은 책이 있는 칸에 모두 ○표 하시오.

[풀이]

깜이는 백과사전을 읽지 않았으므로 X표를 하고, 송연이는 주말에 동화책을 읽었으므로 ○표 한 다음 나머지 칸에 한 사람이 책과 하나씩 선택되도록 모두 ○와 X표를 해서 모든 칸을 채워 보면 깜이는 위인전, 냥이는 백과사전을 읽었습니다.

	동화책	위인전	백과사전
깜이			╳
냥이			
송연	○		

→

	동화책	위인전	백과사전
깜이	╳	○	╳
냥이	╳	╳	○
송연	○	╳	╳

56쪽

탐구 유형 2-1 **에, 아니요**

[정답] (1) 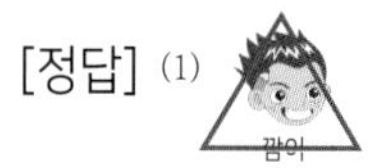

(2) 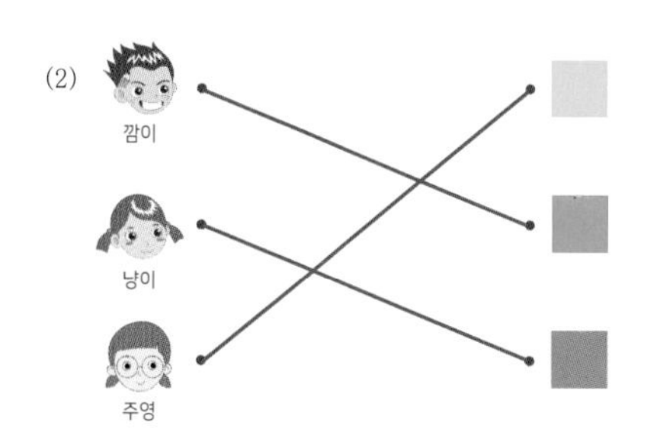

[풀이]
좋아하냐고 물었을 때 : 예 → 좋아함, 아니요 → 좋아하지 않음
좋아하지 않습니까라고 물었을 때 : 예 → 좋아하지 않음, 아니요 → 좋아함

대답에서 냥이는 초록색을 좋아하고 깜이는 파란색을 좋아합니다. 나머지 주영이는 노란색을 좋아합니다.

57쪽

 연습 01

[정답] 연필

[풀이]
질문1 : 상자에는 책이 들어있지 않습니다.
질문2 : 상자에 들어 있는 것은 초콜릿이 아닙니다.
질문3 : 상자에 들어 있는 것은 연필입니다.

 연습 02

[정답] 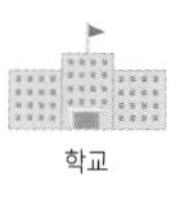

[풀이]
냥이는 학교에 없습니까?의 질문에 예라고 답했으므로 학교에 없고 문구점에 있습니까?의 질문에 아니요라고 답했으므로 문구점에도 없으므로 냥이가 있는 곳은 나머지 공원입니다.

58쪽

탐구 유형 2-2 **청소 당번 정하기**

[정답] (1)

	오늘	내일	모레
깜이			×
냥이			
주영		○	

(2)

	오늘	내일	모레
깜이	○	×	×
냥이	×	×	○
주영	×	○	×

(3) 깜이

[풀이]
첫 번째에서 모레 청소 당번인 친구가 따로 있다는 이야기이므로 깜이는 모레 청소 당번이 아닙니다.

	오늘	내일	모레
깜이			×
냥이			
주영		○	

	오늘	내일	모레
깜이	○	×	×
냥이	×	×	○
주영	×	○	×

 연습 01

[정답] 과학

[풀이]
수학에서 틀린 문제가 있다는 이야기는 수학은 100점이 아니라는 뜻입니다.

	80점	90점	100점
국어	○		
수학			×
과학			

	80점	90점	100점
국어	○	×	×
수학	×	○	×
과학	×	×	○

59쪽

 연습 02

[정답] 9월

[풀이]

	1월	4월	9월
	×		
		○	

→

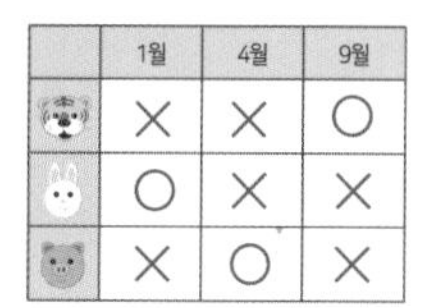

	1월	4월	9월
	×	×	○
	○	×	×
	×	○	×

 연습 03

[정답] B형

[풀이]

	A형	B형	O형
깜이		×	
냥이			○
송연			

→

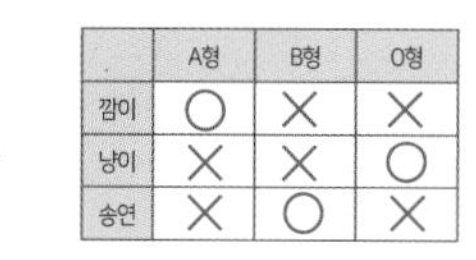

	A형	B형	O형
깜이	○	×	×
냥이	×	×	○
송연	×	○	×

60쪽

01
[정답] | ㉠ | ㉣ | ㉢ | ㉡ |

[풀이]
독일 국기가 반쪽만 나와 있고 오른쪽으로 프랑스의 국기가 붙어 있으므로 순서대로 독일 - 프랑스 - 헝가리 - 이탈리아 순서대로 붙어 있습니다.

02
[정답] 9

[풀이]
숫자 1이 맨 앞에 있고 뺄셈 부호가 먼저 나오므로 처음 수는 19, 13, 15가 되어야 하는데 덧셈 부호 뒤에 5가 있으므로 19나 13이 와야 합니다. 따라서 가능한 경우는 19-3+5이거나 13-9+5가 되어야 하는데 19-3+5=21로 두 자리 수가 나오므로 13-9+5=9가 구하려는 식입니다.

61쪽

03
[정답] 주영

[풀이]
첫 번째 질문에서 교실에 있던 사과를 본 적이 있는 사람은 깜이와 주영이고 두 번째 질문에서 깜이와 주영이 중 사과를 먹은 사람은 주영이입니다.

04
[정답] 여름

[풀이]
왼쪽과 같이 알 수 있는 것을 ○나 X로 표시한 다음 ○의 좌우와 위 아래를 모두 X표 하고 나면 송연이는 여름을 좋아함을 알 수 있습니다.

	봄	여름	가을	겨울
깜이		X		
낭이	X	X		
송연				
주영			○	

➔

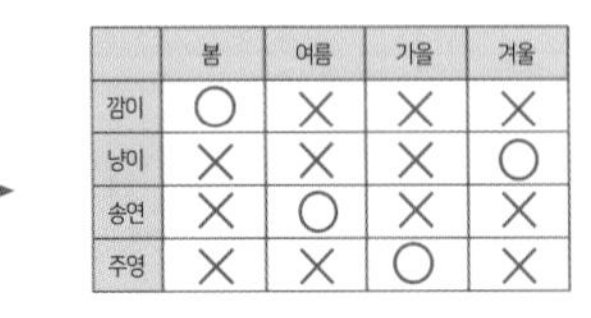

	봄	여름	가을	겨울
깜이	○	X	X	X
낭이	X	X	X	○
송연	X	○	X	X
주영	X	X	○	X

4. 논리 판단 퍼즐

63쪽

생각열기

주차장 빠져나가기

나가는 방법을 순서대로 나타낸 것입니다. □ 안에 알맞은 화살표의 방향(↑↓→←)을 써넣으시오. 단, 차는 전진과 후진만 할 수 있습니다.

①노란색 차가 ↓ 방향으로 움직입니다.
②파란색 차가 ← 방향으로 움직입니다.
③초록색 차가 ↓ 방향으로 움직입니다.
④빨간색 차가 직진하여 출구로 빠져나갑니다.

파란색 차가 출구로 나가려고 합니다. 다른 차량이 움직여야 하는 순서대로 차의 번호를 쓰시오.

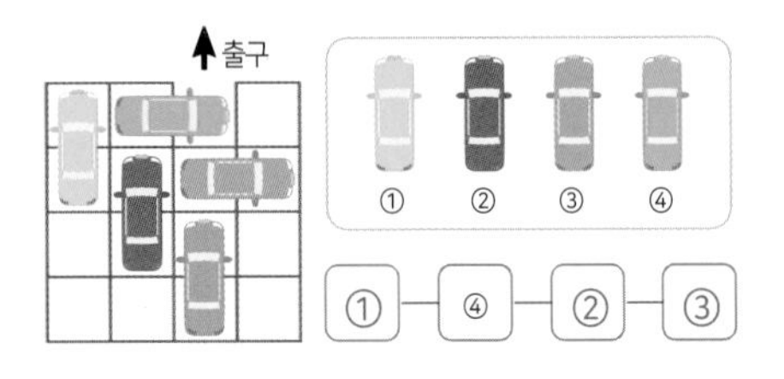

① - ④ - ② - ③

64쪽

빨간색 모양이 나가기 위해 모양이 움직이는 순서를 번호로 쓰시오. 단, 모든 모양은 화살표의 두 방향으로만 움직이고 회색 모양은 움직이지 않습니다.

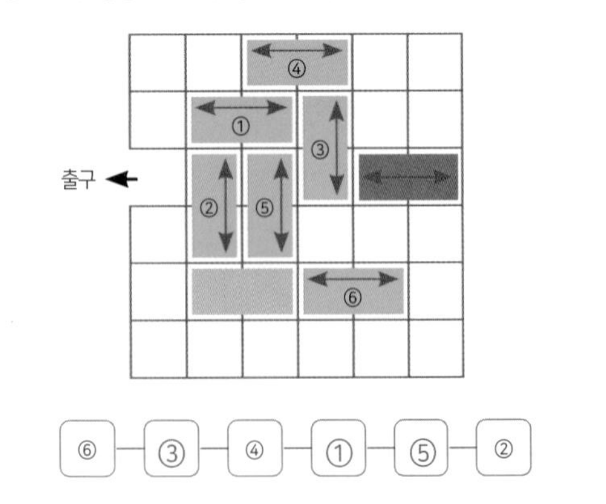

⑥ - ③ - ④ - ① - ⑤ - ②

[풀이]
6, 4, 2번 모양의 순서가 정해져 있으므로 다음으로 이동할 때 어떤 모양을 옮겨야 하는지 순서를 정합니다. 마지막 5와 2가 움직이기 위해서는 1이 5 앞에서 먼저 움직여야 하고 1이 움직이기 위해서는 3이 그 앞에 움직여야 합니다.

65쪽

1 전체와 일부분의 모양

과일을 오른쪽 표에 하나씩 넣으려고 합니다. 완성하려는 표의 일부분의 모양을 보고 표에 알맞은 과일의 번호를 써넣으시오.

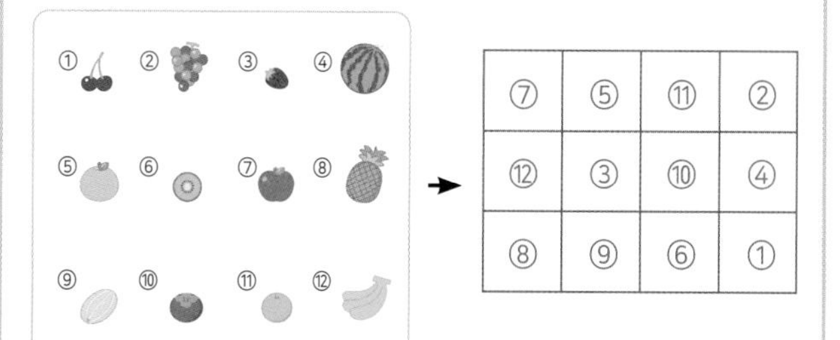

⑦	⑤	⑪	②
⑫	③	⑩	④
⑧	⑨	⑥	①

[풀이]

66쪽

1부터 12까지의 수를 순서에 상관없이 표에 하나씩 넣으려고 합니다. 일부분의 모양을 보고 표를 채워 보시오.

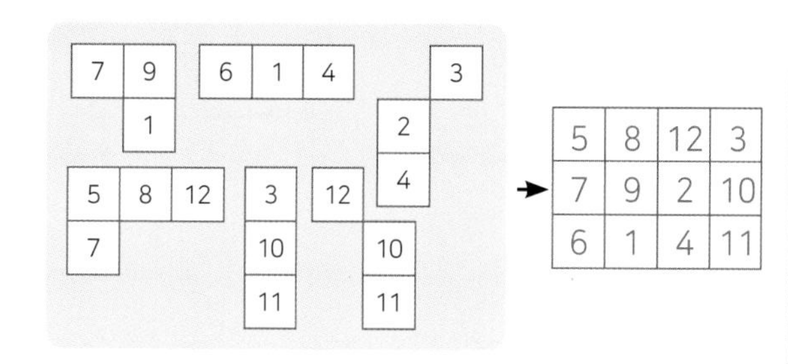

5	8	12	3
7	9	2	10
6	1	4	11

냥이가 깜이에게 하고 싶은 말을 표에 써서 완성한 다음 일부분의 모양들을 보냈습니다. 표를 완성시켜 냥이가 보내는 글을 써넣으시오.

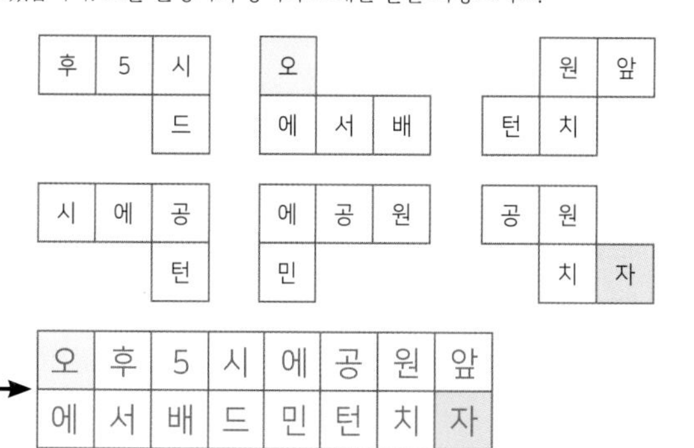

오	후	5	시	에	공	원	앞
에	서	배	드	민	턴	치	자

67쪽

탐구 유형1-1 도미노 놓기

[정답] (1)

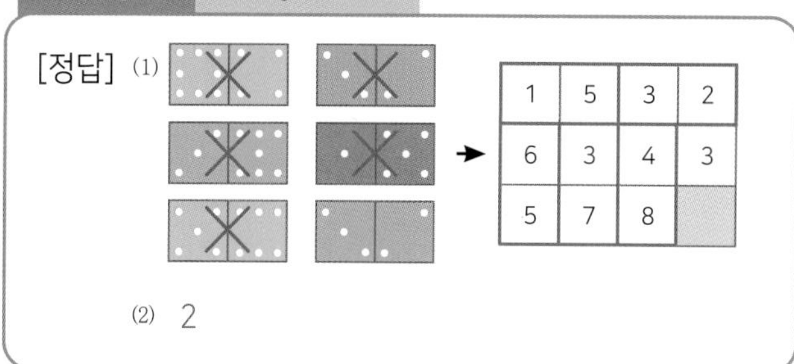

1	5	3	2
6	3	4	3
5	7	8	

(2) 2

연습 01

[정답] 4개

[풀이]

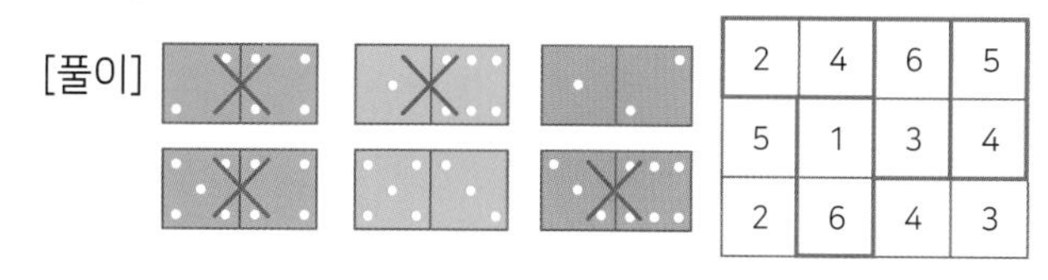

2	4	6	5
5	1	3	4
2	6	4	3

68쪽

연습 02

[정답] 5개

[풀이]

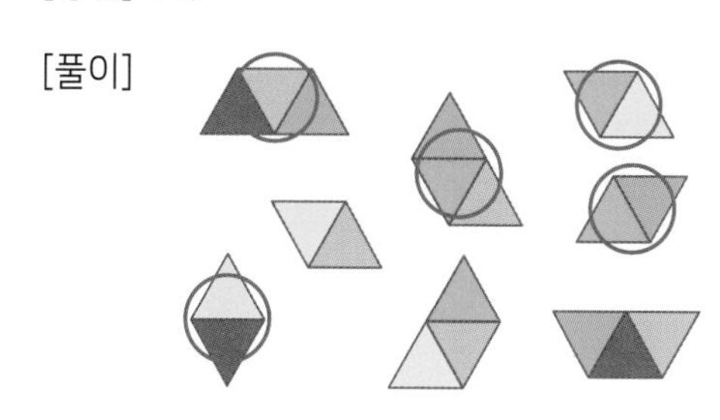

연습 03

[정답]

3 5 1 3
7 3 7 5
1 7 5 1

69쪽

탐구 유형 1-2 **연결된 모양**

[정답]

㉠칸: ③

㉡칸: ②

[풀이]

돌려서 넣었을 때, 공의 색깔이 모두 같아지는 모양을 찾습니다.

연습 01

[정답]

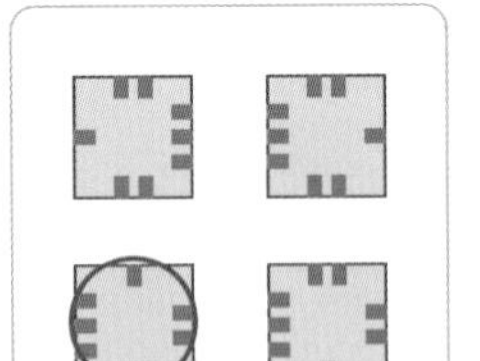

70쪽

탐구주제 2 **경로 찾기 퍼즐**

레이저가 화살표 방향으로 나오도록 하려고 합니다. 알맞은 곳에 거울 1개를 그려 넣으시오.

(1)

(2)

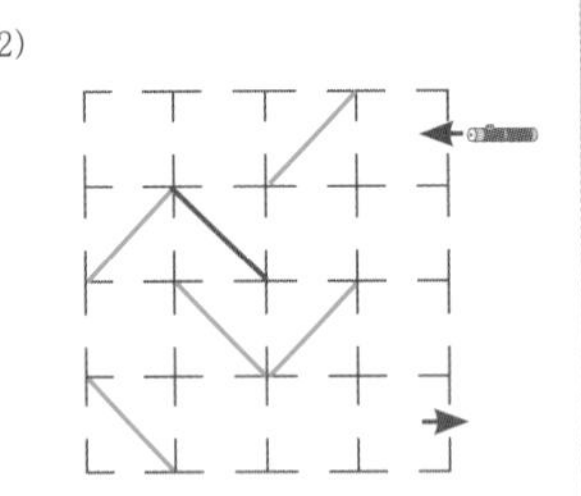

[풀이]

(1)

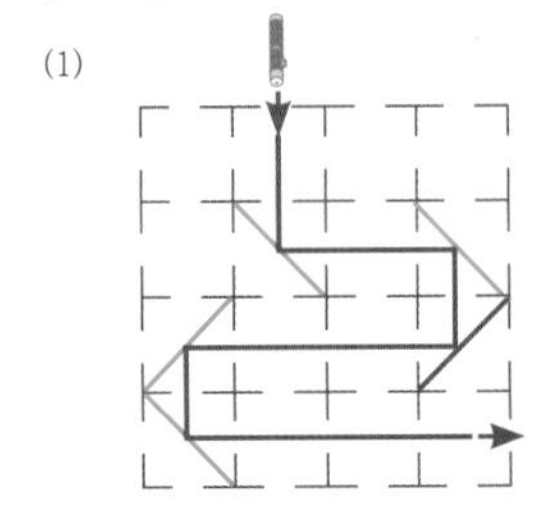

(2)

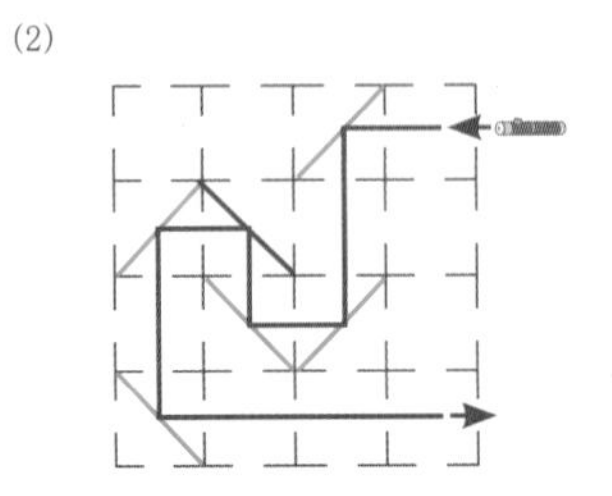

71쪽

레이저 두 개가 모두 같은 색의 화살표 방향으로 빠져나가도록 거울 1개를 더 그려 넣으시오.

(1) (2)

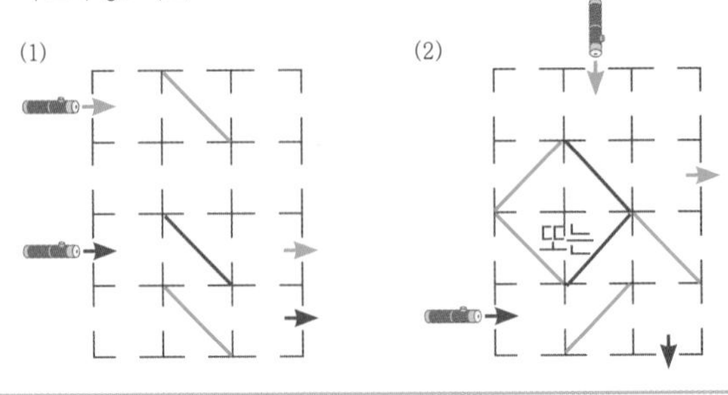

[풀이]

(1)

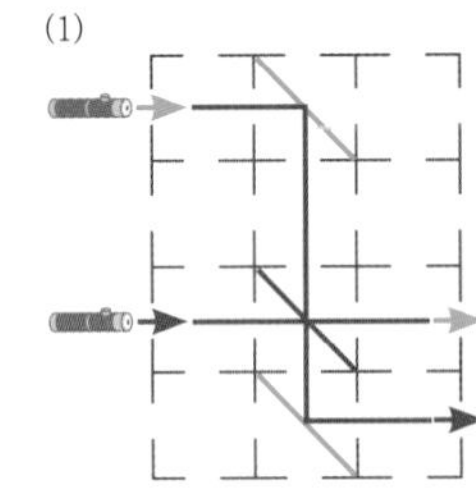

(2)

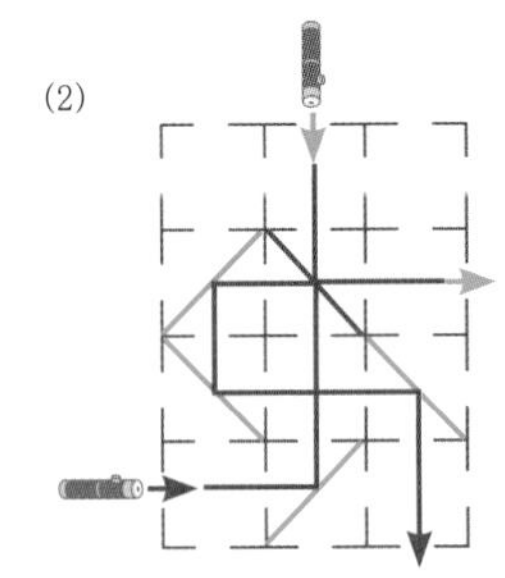

또는

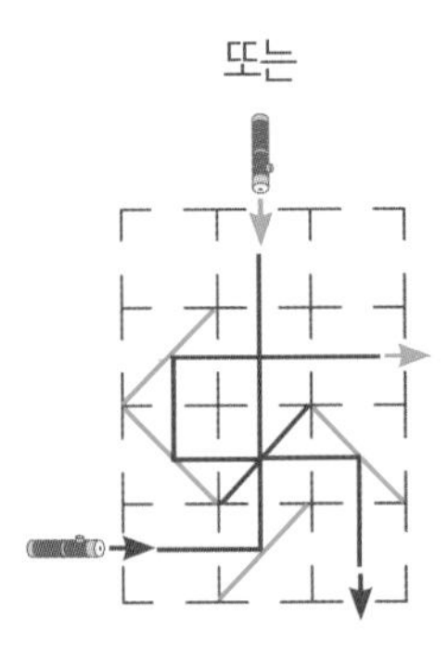

레이저 두 개가 모두 같은 색의 화살표 방향으로 빠져나가도록 거울 2개를 더 그려 넣으시오.

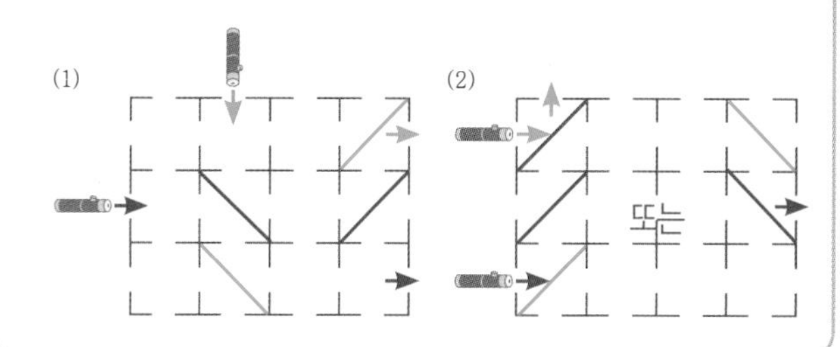

[풀이]

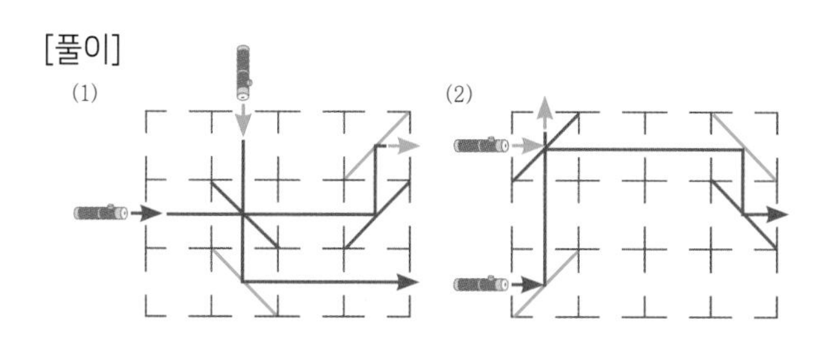

또는

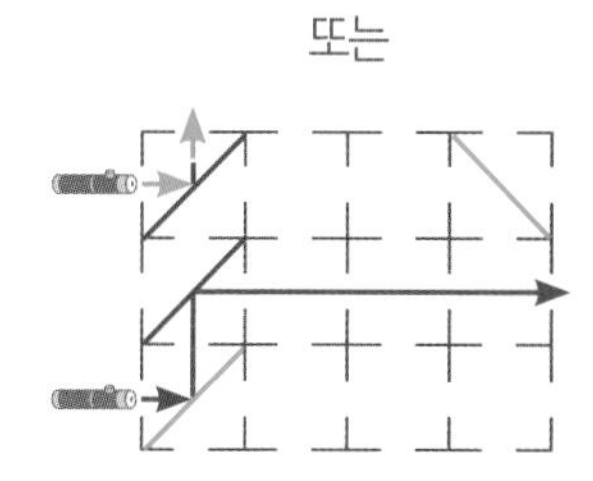

72쪽

탐구 유형 2-1 **모양의 방향 찾기**

[정답]

[풀이]

도착 지점에서 ■가 나타내는 방향은 → 입니다.

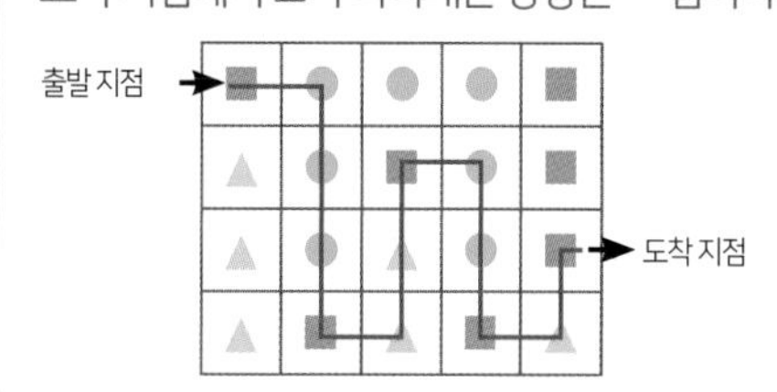

연습 01

[정답]

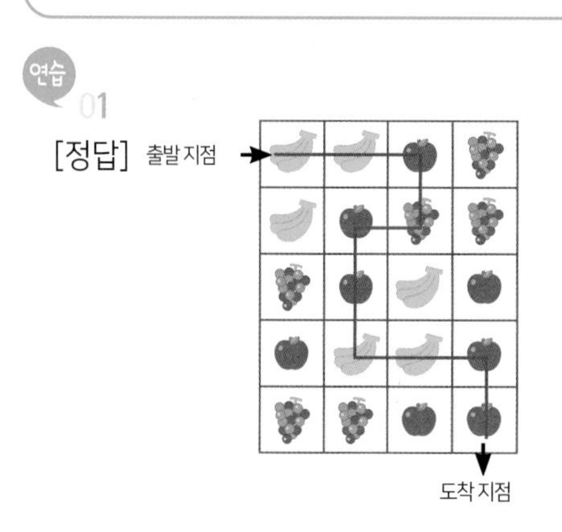

73쪽

연습 02

[정답] 출발 지점

도착 지점

연습 03

[정답]

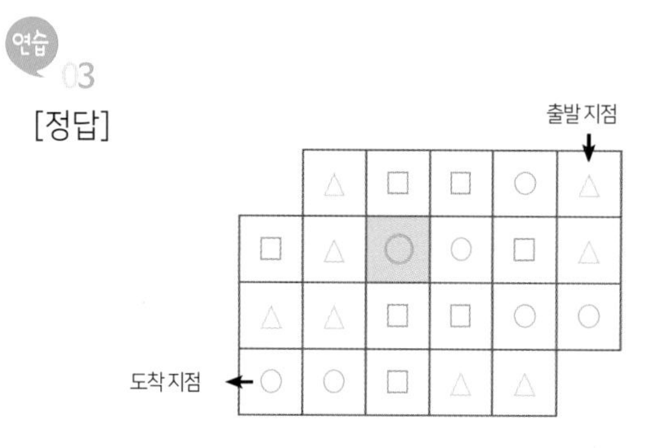

[풀이]

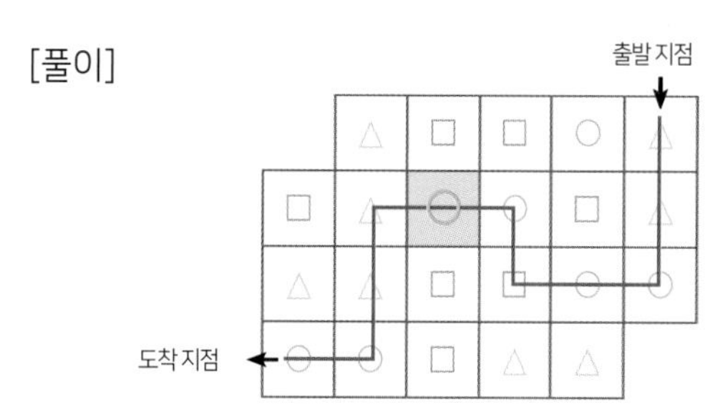

74쪽

탐구 유형 2-2 **자동차 경주장 만들기**

[정답]

연습 01

[정답]

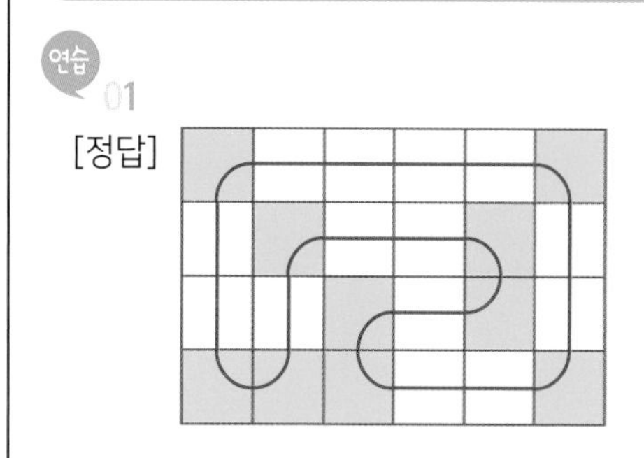

75쪽

연습 02

[정답] (1)

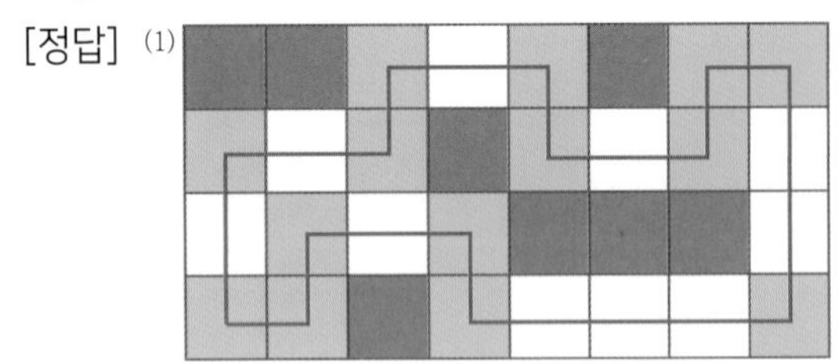

(2)

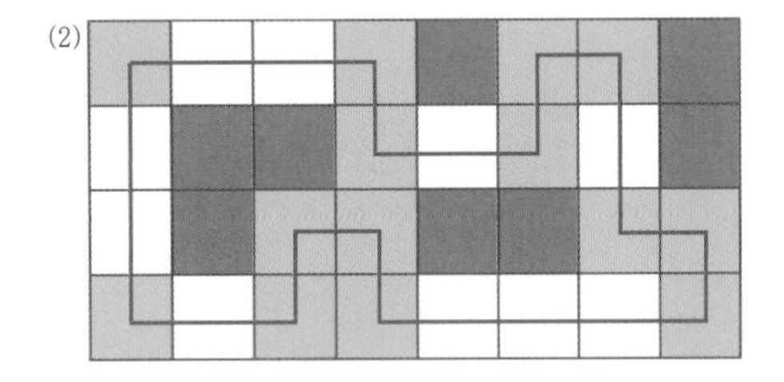

76쪽

탐구 유형 2-3 로봇 청소기가 다니는 길

[정답]

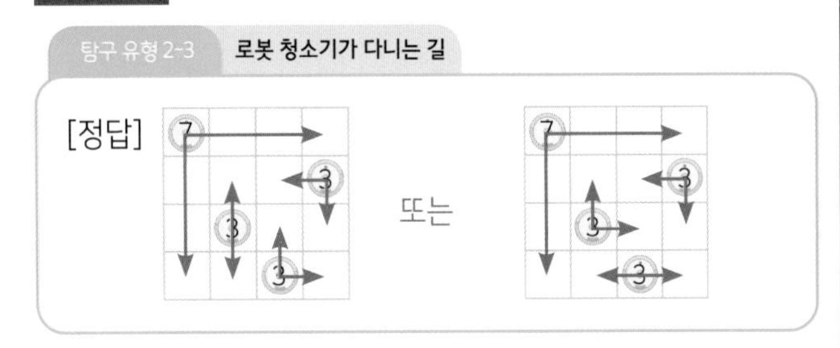

연습 01

[정답]

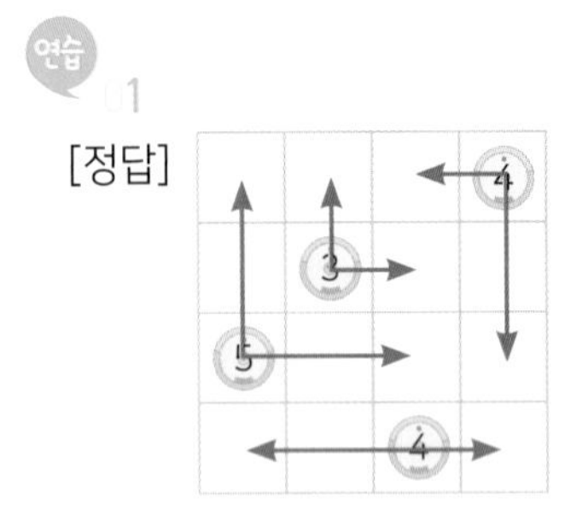

77쪽

연습 02

[정답]

(1)

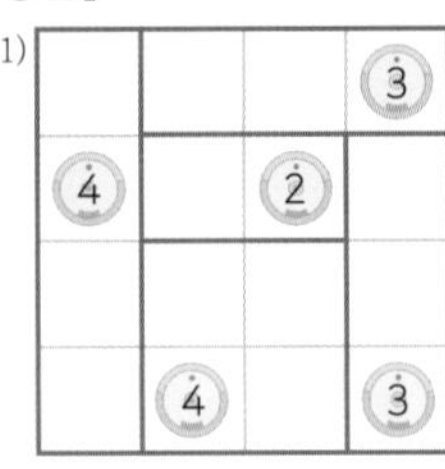

(2)

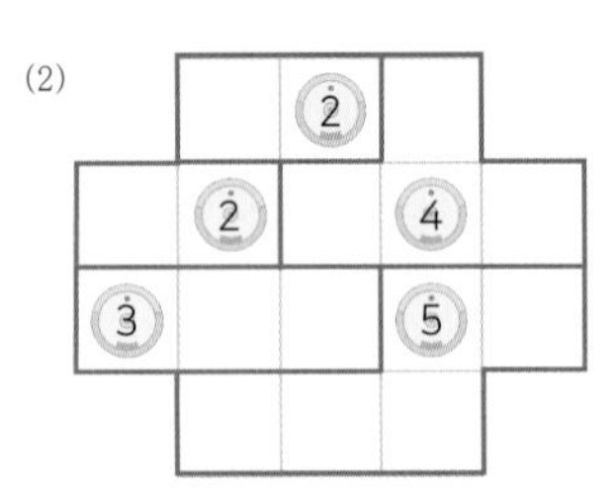

(3)

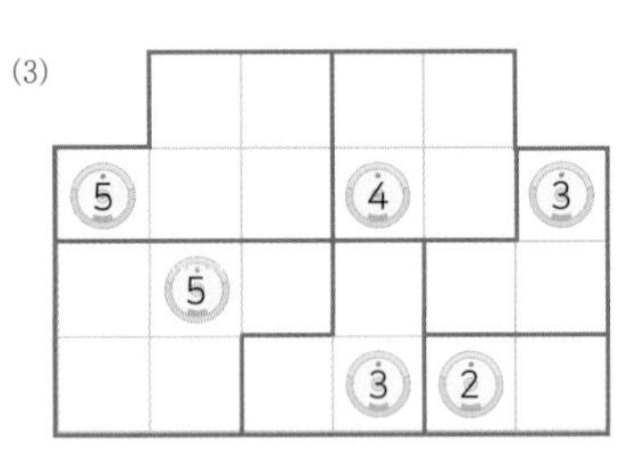

여러 가지 방법이 있습니다.

78쪽

TOP 사고력

01

[정답] 3개

[풀이]

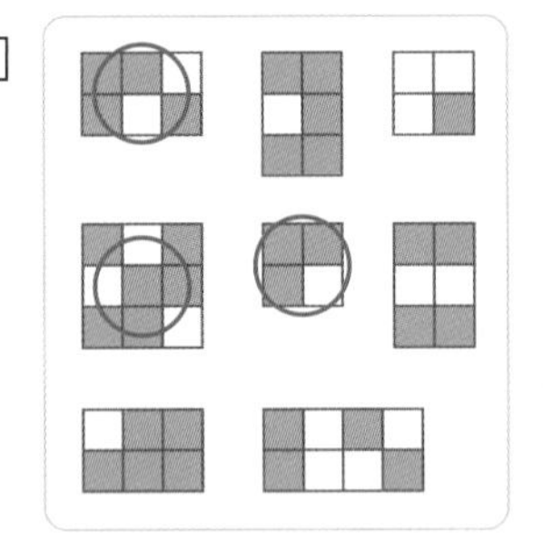

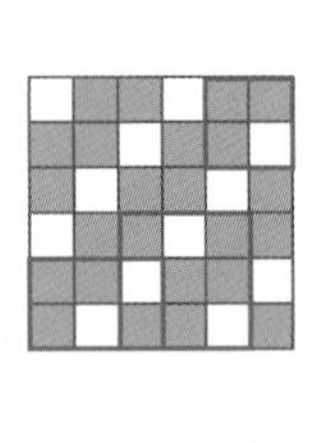

02

[정답] 나

[풀이]

노란색이 아래쪽으로 가는 칸이므로 파란색은 오른쪽으로 가야 합니다. 이때, 가 칸은 아래로 갈 수 없으므로 색이 맞는 칸이고 나에서 아래로 내려와야 도착 지점까지 갈 수 있으므로 나 칸이 노란색 칸이 되어야 합니다.

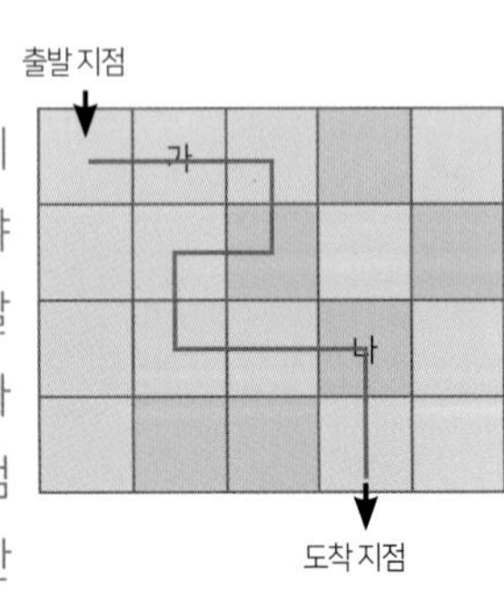

79쪽

03

[정답] 4개

[풀이]

모든 거울을 거쳐서 가려면 아래쪽과 같은 길로 빛이 나가야 합니다. 따라서 거울의 위치를 바꾸어야 하는 곳은 4 곳입니다.

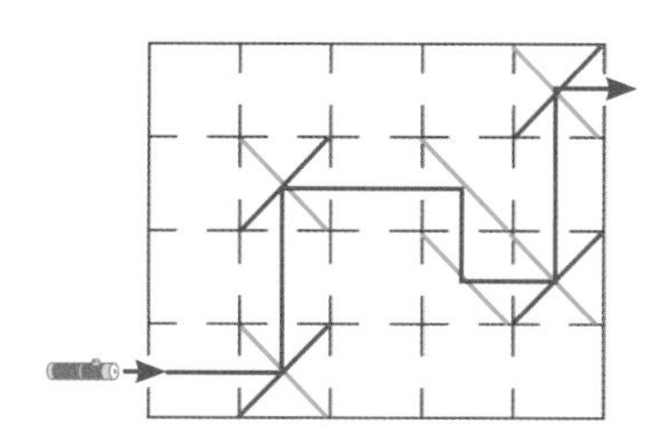

04

[정답]

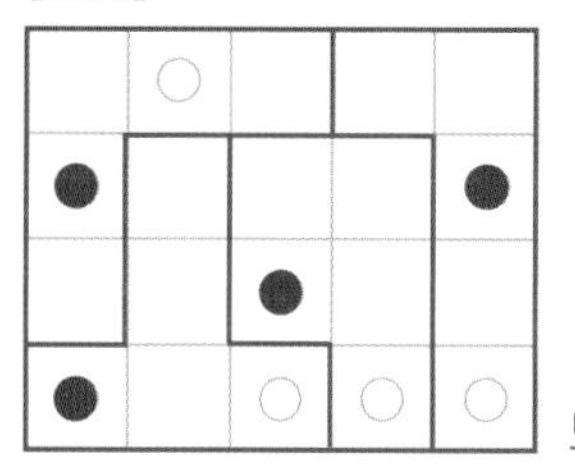

또는

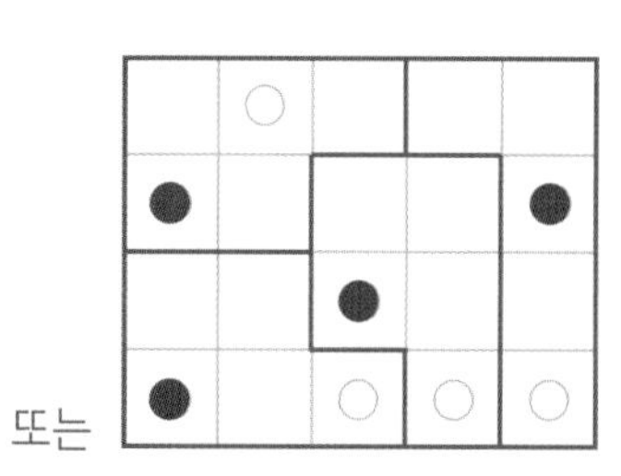

[풀이]

전체가 20칸이고 흰색과 검은색 바둑돌이 4개씩 있으므로 4+4+4+4+4=20이므로 모두 5칸씩으로 나누어야 합니다.

TOP 사고력 쑥쑥

81쪽

1. 여러 가지 규칙

01

[정답]

[풀이]

모양의 색이 반전되는 반전 규칙에 맞게 색칠하면 2번째 오는 모양과 같이 색칠해야 합니다.

02

[정답] ㉠

[풀이]

㉡, ㉢은 반전 규칙, ㉠은 회전 규칙입니다.

82쪽

03

[정답]

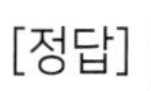

[풀이]

색칠된 칸이 1칸, 8칸으로 반복되고 색칠되거나 색칠되지 않은 한 칸이 번호 순서대로 움직이므로 7번 칸에 색칠되어야 합니다.

1	2	3
4	5	6
7	8	9

04

[정답]

[풀이]

색칠된 칸이 2칸, 4칸으로 반복되고 색칠되거나 색칠되지 않은 세로 줄 하나가 한 칸씩 오른쪽으로 움직이다 마지막에는 다시 가장 왼쪽 줄로 움직입니다.

83쪽

05

[정답]

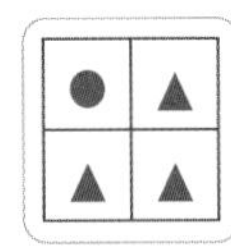

[풀이]

●와 ▲이 1개, 3개씩 개수가 반복되면서 개수가 1개인 모양이 있는 칸이 번호 순으로 움직입니다.

1	2
3	4

06

[정답]

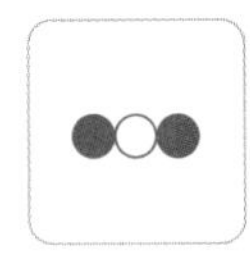

[풀이]

개수가 하나씩 늘어나면서 검은색 바둑돌, 흰색 바둑돌의 자리가 바뀝니다.

84쪽

07

[정답]

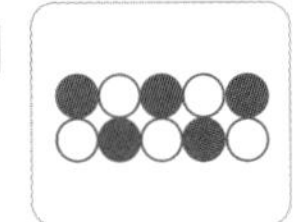

[풀이]

개수가 오른쪽으로 두 개씩 늘어나면서 검은색 바둑돌, 흰색 바둑돌의 자리가 바뀝니다.

08

[정답]

[풀이]

네 번째 모양에서 아래 줄 5개가 추가되면서 검은색-흰색이 반복됩니다.

[다른 풀이]

네 번째 모양이 반전된 모양에서 오른쪽에 대각선으로 검은색 바둑돌 5개가 더 놓입니다.

85쪽

09

[정답] 12개

[풀이]

배의 개수를 순서대로 수로 나열하면 2, 2, 4, 4, 6… 입니다. 따라서 11번째 놓이는 배의 개수는 2, 2, 4, 4, 6, 6, 8, 8, 10, 10, 12에서 12개입니다.

10

[정답] 16개

[풀이]

모양의 개수를 순서대로 수로 나열하면 1, 2, 4, 7, 11…이므로 수가 1, 2, 3, 4…의 순서대로 더해집니다. 따라서 마지막 모양 다음에는 11+5=16개의 칸이 생깁니다.

86쪽

11

[정답] 10개

[풀이]

■칸은 3개씩 늘어나고 □칸은 2개씩 줄어들어서 마지막 모양은 오른쪽 그림과 같게 됩니다.

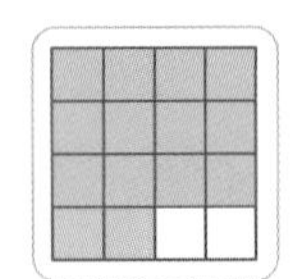

12

[정답] 15개

[풀이]

노란색과 초록색 블록의 개수의 차를 순서대로 나열하면 1, 2, 3, 4…. 이므로 15번째 모양에서 노란색 블록은 파란색 블록보다 15개가 더 많습니다.

87쪽

13

[정답] 24개

[풀이]
다음에 놓이는 전체 바둑돌은 맨 윗줄과 맨 아랫줄이 각각 7개이고 나머지 바둑돌이 5개씩 양쪽에 있으므로 모두 7+7+5+5=24개입니다.

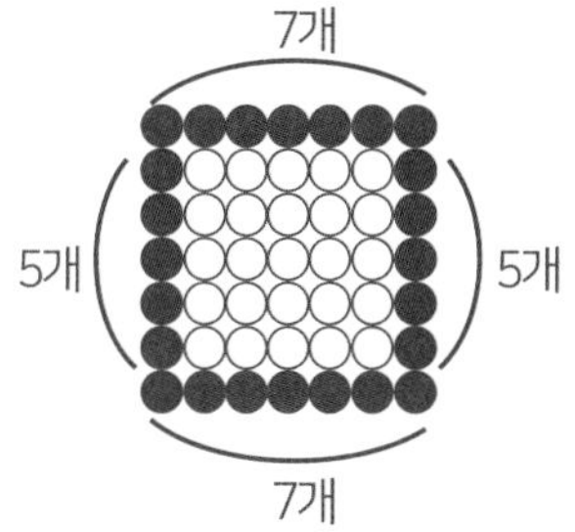

14

[정답] 24

[풀이]
한 칸씩 아래로 내려갈 때마다 6씩 커지므로 6 아래쪽으로는 각각 12-18-24의 순서대로 수가 쓰여집니다.

88쪽

15

[정답] 22

[풀이]
한 칸씩 오른쪽으로 이동할 때마다 수가 4씩 커지므로 10이 있는 칸에서 오른쪽으로 있는 수를 나열하면 10-14-18-22가 됩니다.

16

[정답] ㉡

[풀이]
한 칸씩 아래로 이동할 때마다 수가 5씩 커지는데 모든 수의 일의 자리의 수가 1, 2, 3, 4, 5와 6, 7, 8, 9, 0이 반복됩니다. 따라서 82는 2와 7이 반복되는 ㉡ 자리에 있습니다.

89쪽

2. 약속과 규칙

01

[정답] (1) 1 ★ [3] = 2 (2) [10] ★ 6 = 14

[풀이]
★은 두 수를 더한 다음 2를 빼는 약속입니다.
1) 2에서 2를 빼기 전의 수가 2+2=4이므로 4-1=3
2) 14에서 2를 빼기 전의 수가 14+2=16이므로 16-6=10

02

[정답] (1) 13 ♣ 11 = [28] (2) 29 ♠ 4 = [21]

[풀이]
♣는 두 수의 합에 4를 더하는 규칙이고 ♠는 두 수의 차에 4를 빼는 규칙입니다.

90쪽

03

[정답] (1) 57 [←] 75 = 57 (2) 19 [→] 9 = 19

[풀이]
→는 두 수 중 큰 수가 나오고, ←는 두 수 중 작은 수가 나오는 규칙입니다.

04

[정답] 다

[풀이]
◈는 모두 두 수를 더한 다음 두 배한 값이 나오는데 6◈4는 6+4=10의 두 배인 20이 되어야 하는데 잘못 계산되어 있습니다.

91쪽

05

[정답] (8, 39) → 41

[풀이]
모두 두 수의 차에 10을 더한 수가 나옵니다.

06

[정답]

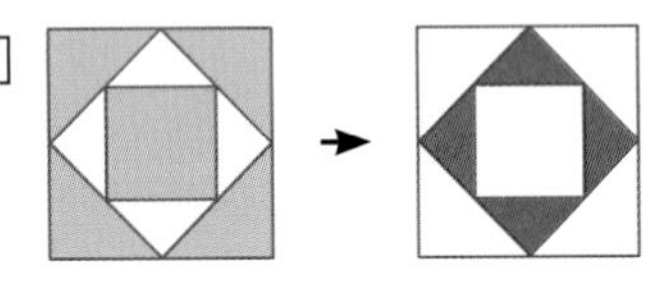

[풀이]
모두 모양이 반전된 모양으로 변합니다.

92쪽

07

[정답] 2개

[풀이]
두 자리 수가 십의 자리와 일의 자리 숫자를 더한 한 자리 수로 바뀝니다. 2가 나오려면 십의 자리 숫자와 일의 자리 숫자의 합이 2인 두 자리수이므로 11과 20의 2개가 있습니다.

08

[정답] (1) 12 → ☀ → ☾ → 13

(2) 22 → ☀ → ☾ → 23

[풀이]
해는 3이 더해진 수가 나오고 달은 2를 뺀 수가 나옵니다.
1) 12에서 3을 더하고 2를 빼면 13입니다.
2) 23이 달을 거치기 전은 23+2=25이고 25가 해를 거치기 전의 수는 25-3=22입니다.

93쪽

09

[정답] 72 → ○ → X → X → ○ → X → 27

[풀이]
○를 거치면 수가 변하지 않고 X를 거치면 십의 자리와 일의 자리 숫자가 바뀐 두 자리 수가 됩니다. 72에서 X가 세 번 있으므로 72는 27로 바뀌게 됩니다.

10

[정답] 〉 → → → → → → → → 〉

[풀이]
초록색 화살표는 모양이 그대로 나오고 빨간색 화살표는 왼쪽이나 오른쪽으로 뒤집어진 모양이 나옵니다. 이때 빨간색 화살표가 4번 있으므로 처음 모양이 그대로 나옵니다.

94쪽

11

[정답]

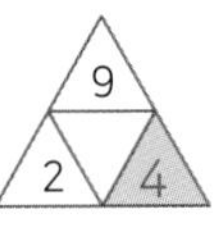

[풀이]
모양 안의 세 수의 합이 모두 15입니다.

12

[정답]

9	16	7

[풀이]
양쪽 끝의 두 칸의 수의 합이 가운데 칸의 수가 됩니다.

[다른 풀이]
가운데 수와 양쪽 칸에 있는 수 중 하나의 차가 나머지 한 칸의 수가 됩니다.

95쪽

13

[정답]

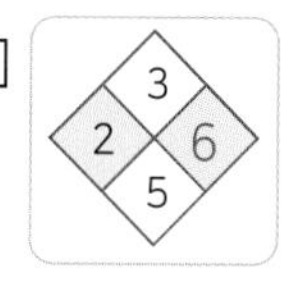

[풀이]

색칠된 두 칸과 색칠되지 않은 두 칸에 있는 수의 합이 같습니다.

14

[정답] ©

[풀이]

©을 제외한 나머지는 윗줄과 아랫줄의 두 수의 합이 같습니다.

96쪽

15

[정답]

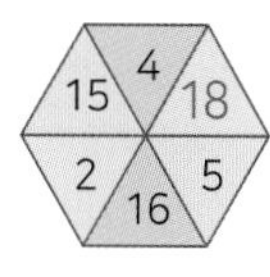

[풀이]

같은 색의 마주 보고 있는 두 칸의 수의 합이 같습니다.

16

[정답]

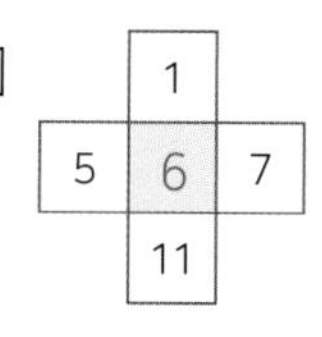

[풀이]

가로와 세로의 두 수의 합이 같고 가운데는 가로나 세로의 두 수의 합의 절반이 들어갑니다.

97쪽

3. 논리적 추론

01

[정답] 

[풀이]

참외를 제일 오른쪽에 넣고 나서 귤을 왼쪽부터 두 번째에 넣으면 사과-귤-딸기-참외 순서대로 놓입니다.

02

[정답] 송연 — 주영 — 깜이 — 냥이

[풀이]

송연이가 가장 높은 점수이고 깜이가 가장 낮은 점수가 아니면서 주영이보다 점수가 낮으므로 주영-깜이-냥이의 순서입니다.

98쪽

03

[정답] 가

[풀이]

파란색 고리를 2개 빼야 하므로 나의 위에서부터 파란색과 노란색, 다의 위에서부터 파란색과 초록색 고리를 빼면 됩니다.

04

[정답]

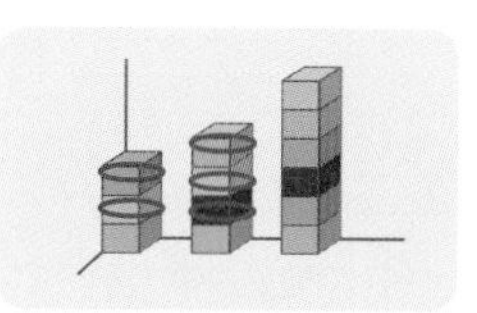

[풀이]

빨간색 상자를 빼기 위해서는 가장 오른쪽 줄에서는 뺄 수 없습니다. 따라서, 가운데 줄에서 파란색, 노란색, 빨간색 상자를 빼면 가장 왼쪽 줄에서 초록색과 노란색 상자를 빼면 됩니다.

99쪽

05

[정답] ㉠

[풀이]

㉡ : 왼쪽-왼쪽-오른쪽-왼쪽의 순서

㉢ : 오른쪽-오른쪽-왼쪽-오른쪽의 순서

㉠은 파란색과 초록색 색종이를 사용하고 나면 노란색이나 초록색 색종이는 맨 위에서부터 사용할 수 없습니다.

06

[정답]

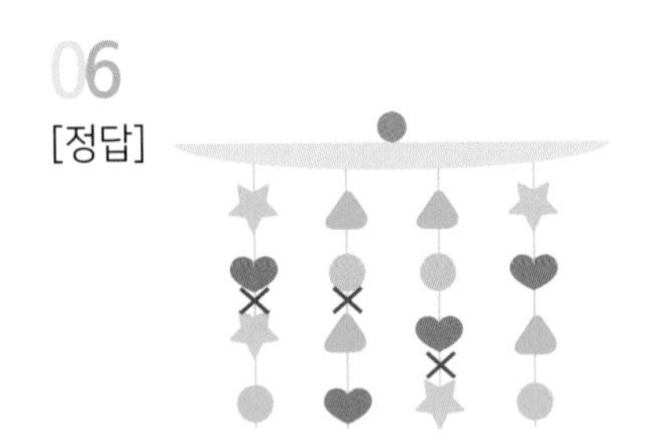

[풀이]

파란색 별 모양이 2개 떨어지도록 해야 하고 초록색 세모 모양을 떨어지도록 하면 세모 모양 아래도 같이 떨어집니다.

100쪽

07

[정답] ➔

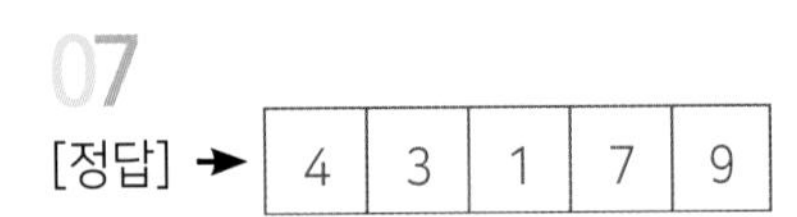

4	3	1	7	9

[풀이]

1번 나오는 수가 4와 9이므로 4가 가장 왼쪽에, 9가 가장 오른쪽에 있는 수입니다.

08

[정답] ➔

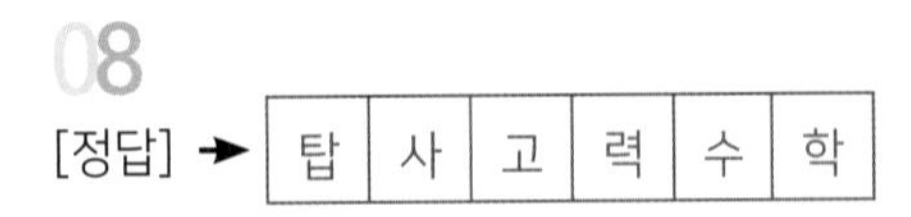

탑	사	고	력	수	학

101쪽

09

[정답]

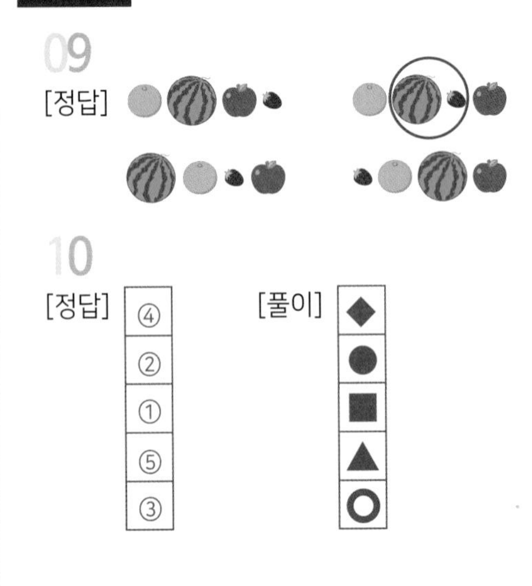

10

[정답] [풀이]

102쪽

11

[정답]

[풀이]

지나지 않았지?에 대한 답변에서 예는 지나지 않았다는 뜻이고 아니요는 지났다는 뜻입니다.

12

[정답]

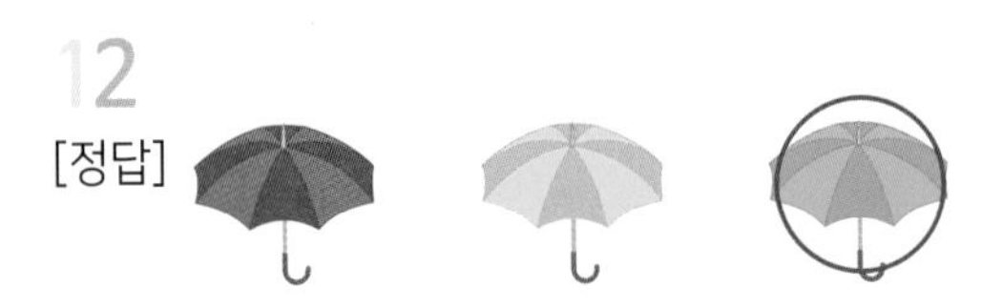

[풀이]

깜이는 빨간색 우산도 아니고 초록색 우산도 아니므로 노란색 우산을 가지고 있고, 냥이는 빨간색 우산을 가지고 있으므로 송연이는 초록색 우산을 가지고 있습니다.

103쪽

13

[정답]

	1	2	3
깜이	○	X	X
냥이	X	×	○
주영	X	○	×

[풀이]

○표가 있는 칸의 가로줄과 세로줄을 먼저 X표로 모두 채웁니다.

14

[정답] 아이스크림

[풀이]

깜이와 초콜릿이 만나는 칸에는 X표, 냥이와 사탕이 만나는 칸에는 ○표를 한 다음 나머지 칸에 모두 X표나 ○표를 채웁니다.

	아이스크림	초콜릿	사탕
깜이		X	
냥이			○
주영			

→

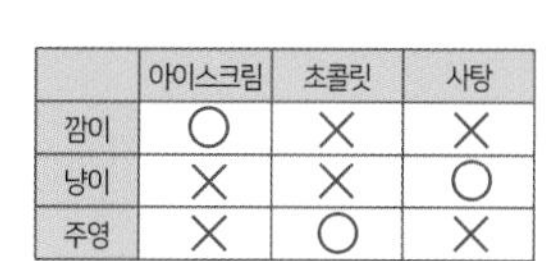

	아이스크림	초콜릿	사탕
깜이	○	X	X
냥이	X	X	○
주영	X	○	X

104쪽

15

[정답] 바둑

[풀이]

깜이의 취미는 등산이고 냥이의 취미는 바둑이 아니므로 냥이의 취미는 독서입니다. 따라서, 주영이의 취미는 바둑입니다.

	독서	등산	바둑
깜이	X	○	X
냥이	○	X	X
주영	X	X	○

16

[정답] 이

[풀이]

희정이는 이씨가 아니고 정수는 정씨와 이씨가 아니므로 김씨입니다. 따라서, 희정이는 정씨이고 현호는 이씨입니다.

	이씨	김씨	정씨
정수	X	○	X
희정	X	X	○
현호	○	X	X

105쪽

4. 논리 판단 퍼즐

01

[정답]

4	7	3
5	1	9
8	6	2

02

[정답] →

안	녕	하	세	요
감	사	합	니	다

106쪽

03

[정답] 2

[풀이]

2	3		2
2	1	4	6

04

[정답]

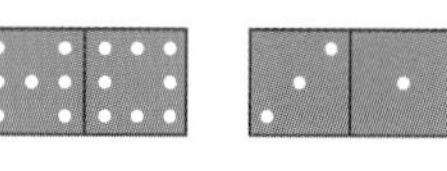
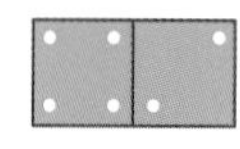
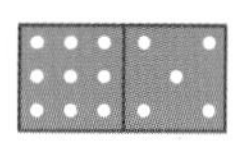
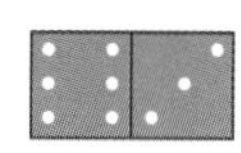
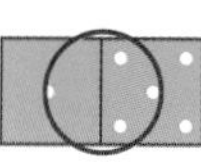

[풀이]

3	4	7	8
1	2		5
9	5	6	3

107쪽

05

[정답]

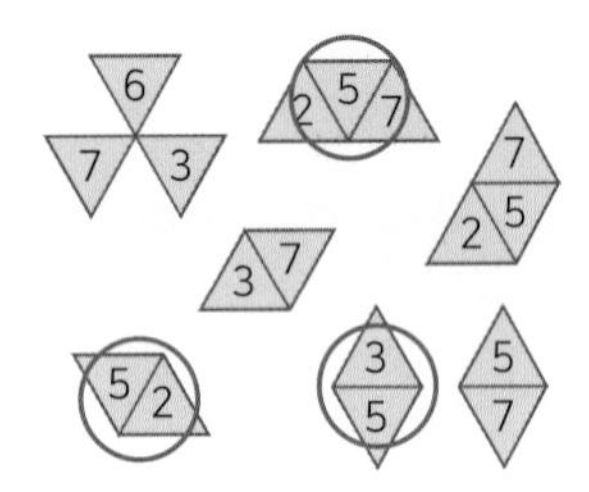

06

[정답] 4개

[풀이]

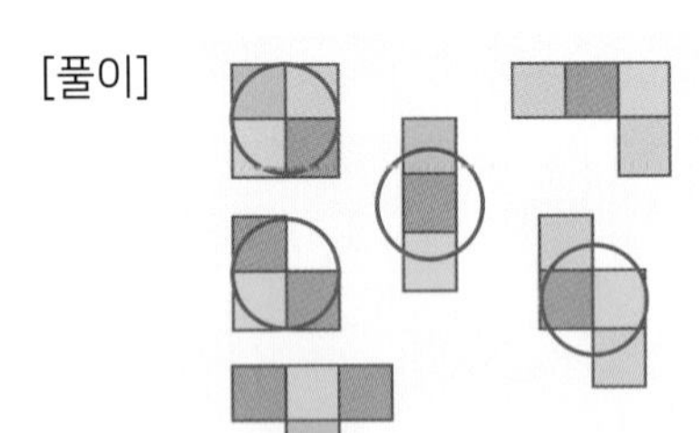

108쪽

07

[정답] 가: ④ 나: ③

[풀이]

돌렸을 때, 색이 같아지는 모양을 찾습니다.

109쪽

08

[정답]

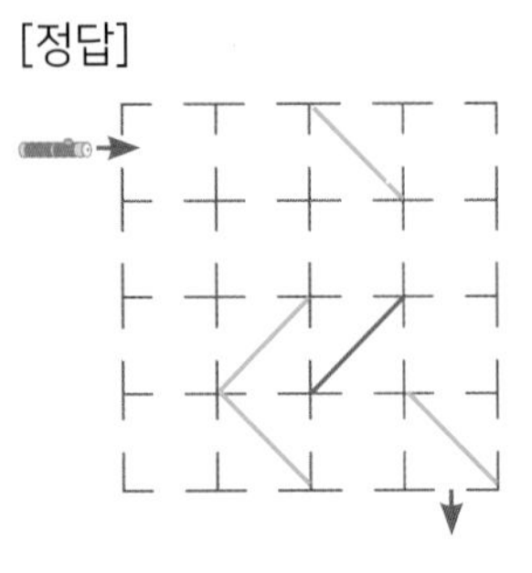

[풀이]

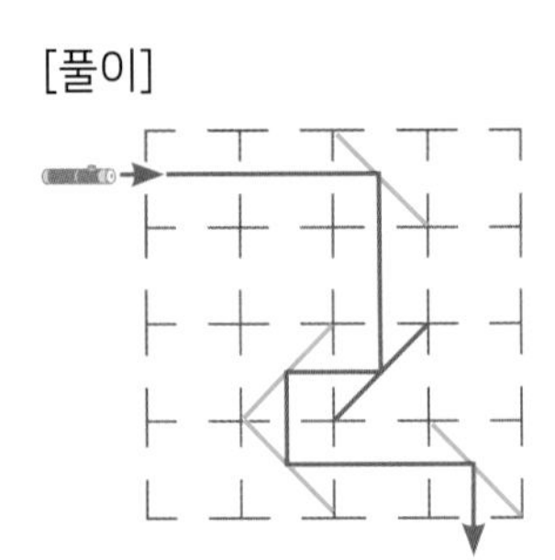

09

[정답]

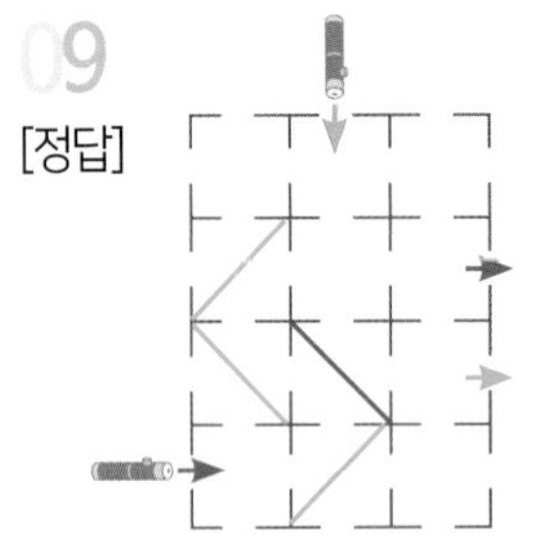

또는

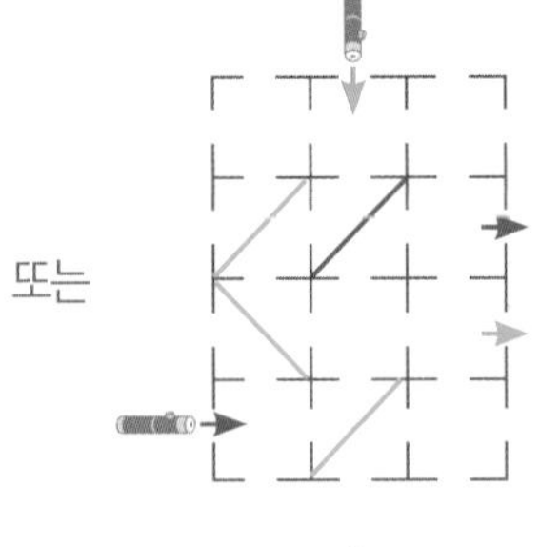

[풀이]

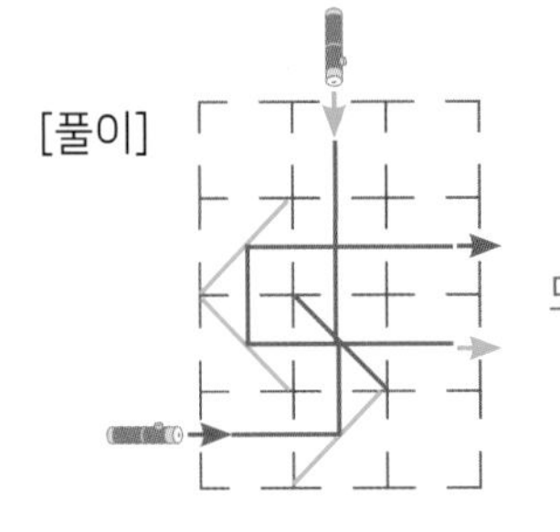

또는

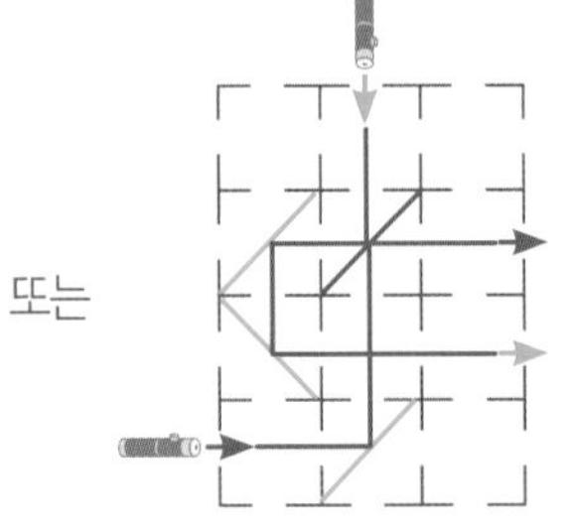

110쪽

10

[정답] (1)

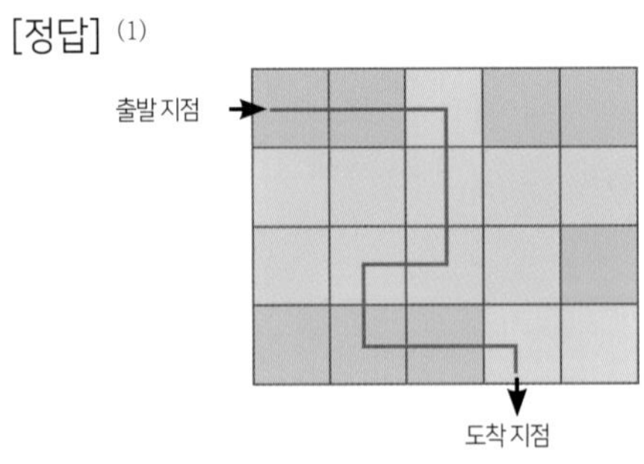

(2)

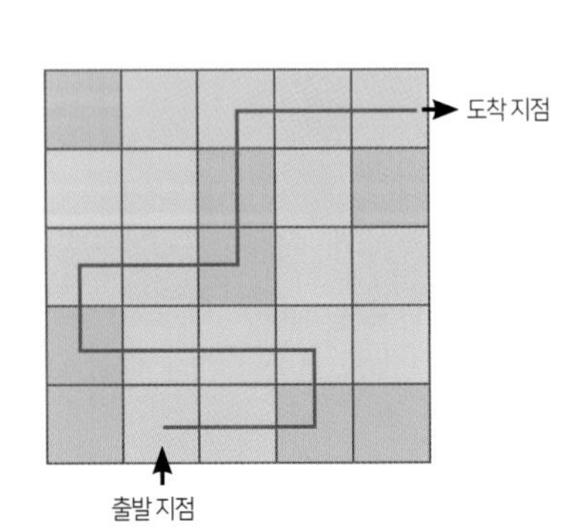

111쪽

11

[정답] (1)

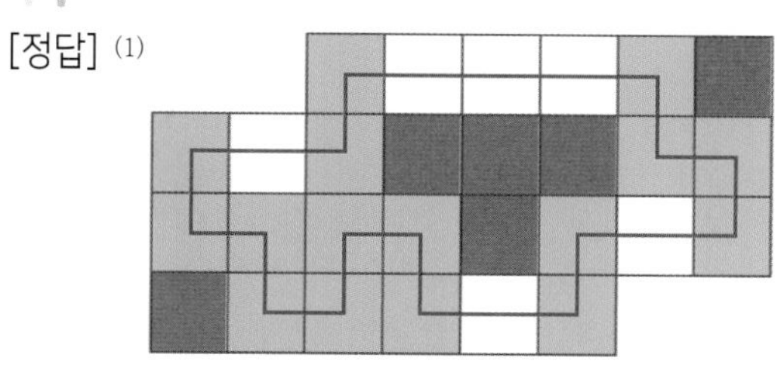

(2)

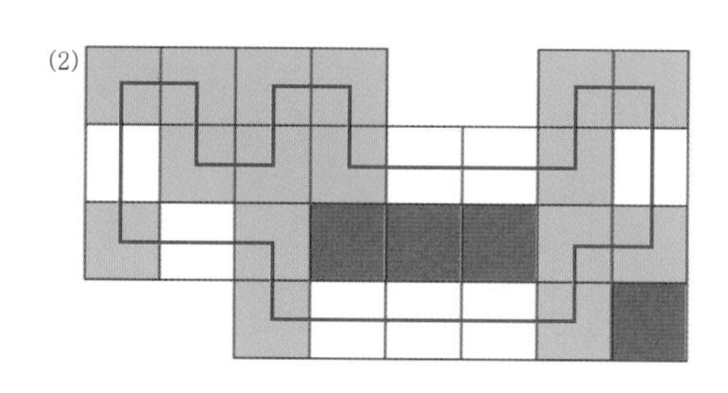

112쪽

12

[정답] (1)

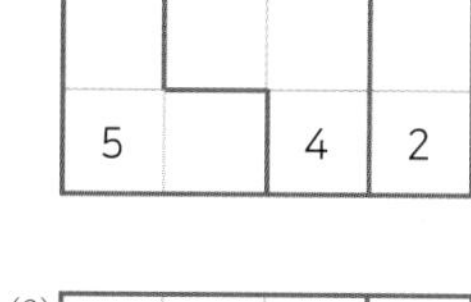

(2)

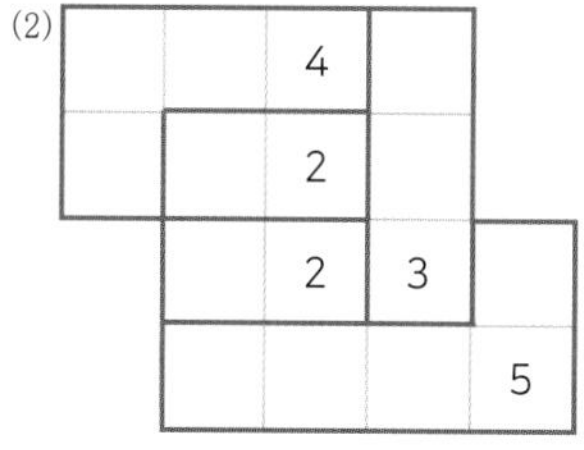

여러 가지 방법이 있습니다.

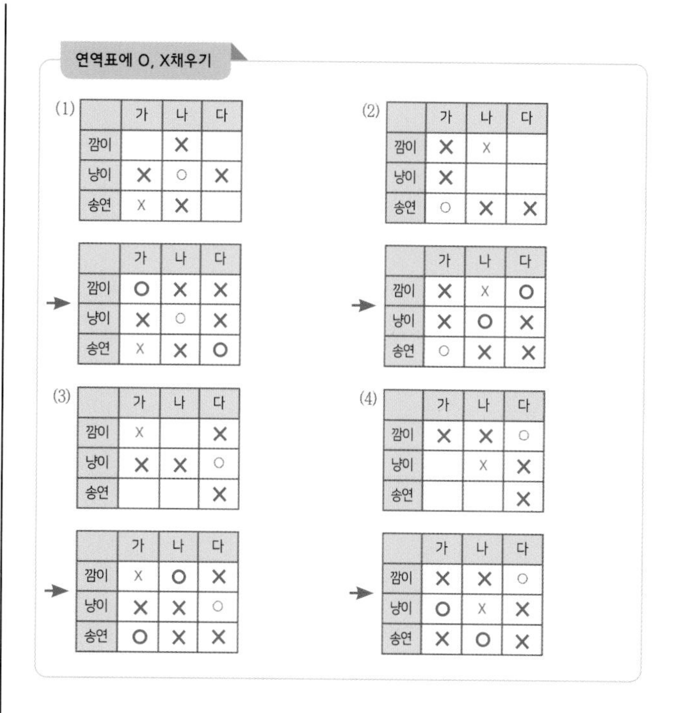

연역표에 O, X채우기

(1)

	가	나	다
깜이		X	
냥이	X	○	X
송연	x	X	

→

	가	나	다
깜이	O	X	X
냥이	X	○	X
송연	x	X	O

(2)

	가	나	다
깜이	X	x	
냥이	X		
송연	○	X	X

→

	가	나	다
깜이	X	x	O
냥이	X	O	X
송연	○	X	X

(3)

	가	나	다
깜이	x		X
냥이	X	X	○
송연			X

→

	가	나	다
깜이	x	O	X
냥이	X	X	○
송연	O	X	X

(4)

	가	나	다
깜이	X	X	○
냥이		x	X
송연			X

→

	가	나	다
깜이	X	X	○
냥이	O	x	X
송연	X	O	X

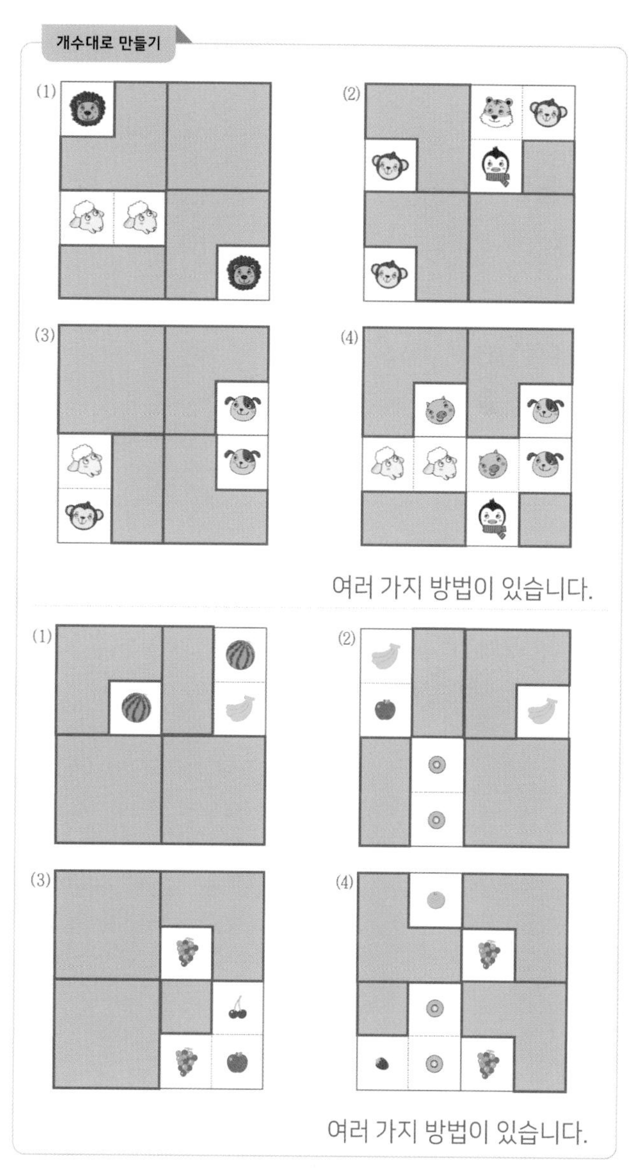

천종현수학연구소는

천종현 연구소장 아래 사고력 수학 교재를 써온 집필진으로 이루어져 있습니다. 사고력 수학을 가르치는 것으로부터 시작하여 사고력, 창의력 교재를 개발하면서 원리로부터 시작하는 단계적 학습을 중요하게 생각하는 실전에 강한 사고력 전문가 집단입니다. 원리를 이해하는 공부가 아니라 방법을 암기하는 수학 공부법에 대한 문제 인식을 가지고 아이들이 쉽고 재미있게 공부하면서도 생각하는 힘이 자라는 수학 컨텐츠를 연구하고 있습니다.

천종현수학연구소

실력을 쌓는 수학 공부는 연산도 연습과 함께 원리가 중요합니다.
원리셈은 생활 속 소재와 교구 그림을 통해 쉽게 원리를 익히고, 다양한 문제로 재미있게 반복 연습할 수 있는 연산 교재입니다.

5·6세 단계

수와 수학을 처음 배우는 단계
수 읽기, 세기, 쓰기를 붙임 딱지를 활용하여 재미있게 공부하도록 구성
매 단원의 마지막은 쉽고 재미있는 내용의 사고력 수학

6·7세 단계

수를 세어 덧셈, 뺄셈의 개념을 아는 단계
20까지의 수를 차례로 세어 덧셈, 뺄셈을 이해하고 생활 속 소재와 흥미 있는 연산 퍼즐을 통해 재미있게 공부

7·8세 단계

한 자리 덧셈, 뺄셈을 확실히 잡아가는 단계
받아올림, 받아내림 없는 덧셈, 뺄셈 다지기와 10의 보수 학습을 통한 받아올림, 받아내림의 개념 잡기

초등1 단계

초등 1학년 단계
받아올림, 받아내림 없는 두 자리 덧셈, 뺄셈과 받아올림, 받아내림이 있는 한 자리 덧셈, 뺄셈의 집중 연습
마지막 단원은 앱을 이용하여 시간을 재고 다른 친구들의 기록과 비교하는 집중 연산

초등2 단계

초등 2학년 단계
두 자리 덧셈, 뺄셈과 곱셈구구 그리고, 나눗셈의 개념 알기
마지막 단원은 앱을 이용하여 시간을 재고 다른 친구들의 기록과 비교하는 집중 연산

초등3 단계

초등 3학년 단계
세 자리 덧셈과 뺄셈과 두/세 자리 곱셈, 나눗셈
총 6개 단원으로 그 중 2개 단원은 앱을 이용하여 시간을 재고 다른 친구들의 기록과 비교하는 집중 연산

초등4 단계

초등 4학년 단계
큰 수의 곱셈과 나눗셈, 분수와 소수의 덧셈과 뺄셈, 자연수 혼합 계산
총 6개 단원으로 그 중 2개 단원은 앱을 이용하여 시간을 재고 다른 친구들의 기록과 비교하는 집중 연산

초등5·6 단계

초등 5, 6학년 단계
분모가 다른 분수의 덧셈, 뺄셈, 분수와 소수의 곱셈과 나눗셈
6학년 연산 비중이 낮은 것을 고려한 통합 연산 단계
총 6개 단원으로 그 중 2개 단원은 앱을 이용하여 시간을 재고 다른 친구들의 기록과 비교하는 집중 연산

예비 중등 단계

초등 6학년, 중등 1학년 단계
유리수의 혼합 계산과 방정식의 계산 2권으로 중등 수학을 처음 접하는 학생들 위한 원리 중심의 연산 교재
총 6개 단원으로 그 중 2개 단원은 앱을 이용하여 시간을 재고 다른 친구들의 기록과 비교하는 집중 연산